「武漢ウイルス」後の新世界秩序

ウイルスとの戦いである第三次世界大戦の勝者は？

ワニ・プラス

はじめに――新しい〝敵〟が見せてくれた新しい〝世界〟

お笑いタレントの志村けん氏と女優の岡江久美子氏が亡くなった。武漢ウイルス（新型コロナウイルス）との戦いでの事実上の「戦死者」といえるのではないか。そうなのだ、これは紛れもなく「アンチ・コロナ戦争」なのだ。

「人類の敵である武漢ウイルスとは何者だ。どこから来たんだ」――犯人捜しが始まった。何しろこの敵は極小で人間の目には見えないのだから。その大きさは、〇・一マイクロm。スギ花粉の約三〇〇分の一である。普通の顕微鏡（光学顕微鏡）では見えず、見るためには電子顕微鏡を使わねばならない。

「アンチ・コロナ戦争」には、四つの特徴がある。

第一は、米中が「アンチ・コロナ戦争」の場を利用して覇権争いを続けていること。

第二は、各国は自国・自国民の防衛のためのみに汲々としており、国際協力がなされていないこと。

第三は、武漢ウイルスについての知見が乏しく、危機管理に疎い各国指導者は「アンチ・コロナ戦争」でドタバタ劇を演じる羽目となり、国民の信頼を失うケースが多いこと。

第四は、決め手となる武器（新薬とワクチン）の開発に時間がかかり、「アンチ・コロナ戦争」は長期化が予想されること。

「アンチ・コロナ戦争」は、まさに「第三次世界大戦」と呼ぶにふさわしいものだ。以下、第二次世界大戦と対比しつつその特徴を説明したい。

第二次世界大戦は約六年間戦われた。「アンチ・コロナ戦争」についても、ワクチンも特効薬も開発されなければ、人口の六〇％から七〇％が感染集団免疫を獲得するまで——定説では四〜六年かかるといわれている——は継続する可能性がある。

第二次世界大戦では、日独などの枢軸国と米英などの連合国の二陣営で戦い、連合国が勝利した。主な戦場は欧州戦線とアジア・太平洋戦線のふたつで、米国には戦火が及ばなかった。このことは、戦後の新秩序をつくるうえで大きな作用があり、米国が英国に代わって世界覇権——パクス・アメリカーナ（アメリカによる平和）——を握り、世界復興の牽引役（けんいんやく）となった。

一方、「アンチ・コロナ戦争」は例外なく世界中が戦場となり、世界各国はすべて「敗戦国」となる。世界各国は牽引役も不在のまま復興に取り組まなければならない。

第二次世界大戦は表向き戦時国際法——ハーグ陸戦法規やジュネーヴ条約など——に則って戦われた。同法には条約締結国が順守すべき八つのルールがある。その第一が「軍事目標以外への攻撃禁止（降伏者、負傷者、民間人等の攻撃禁止）」である。しかし、新型コロナウイルスは軍・民、老若男女を無差別に攻撃する。また、当然のことだが攻撃は対象国家をも選ばない。

第二次世界大戦では、都市と産業中枢地域への空爆などで、経済・産業のインフラは決定的なダメージを受けた。しかし、「アンチ・コロナ戦争」では、産業・経済のインフラは破壊・焼失しない。そのため、各国は資本と労働力さえつぎ込めばV字型の復興が期待できる。「希望・気力・気概（3K）」を失わないことが重要だ。

第二次世界大戦の犠牲者は軍人・民間人を合わせて直接死者が二五〇〇万人、間接死者が一五〇〇万人、負傷者が三四〇〇万人、総計七四〇〇万人といわれる。一方、「アンチ・コロナ戦争」では感染者三四三万五〇〇〇人、死者二三万九〇〇〇人（二〇二〇年五月五日現在）に上る。

世界規模で見れば、第二次世界大戦が戦後もたらした変化は、次の五点である。いずれも、流転極まりない世界情勢の変化のなかでは単なる「一里塚」に過ぎなかったが。

一　連合国側の完全な勝利と枢軸国側の敗北――次の新たな合従連衡へ。
二　米ソ二大国の強大化と、東西冷戦の開始――ソ連崩壊と冷戦構造崩壊から中国台頭へ。
三　アジア・アフリカ諸民族の自立・独立――米中覇権争いへの萌芽（ほうが）。

四　核兵器の登場――今日（こんにち）の核ミサイル世界の出現と拡散。
五　国際連合の発足――米・英・仏と中・ロ（ソ）の対立で国際連盟と同様に期待外れ。

「アンチ・コロナ戦争」は、従来の「人」と「人」の戦いではなく「人」と「ウイルス」の戦いだ。この戦いのパラダイムの違いが終戦後、人類・世界そして日本にいかなる変化をもたらすのだろうか。

本書では、そのことについて西村幸祐氏と論じた。この問題は、これから世界・人類・日本にとって重大なテーマになることだろう。本書がいささかでも、その手掛かりとなれば望外の喜びである。

この機会を与えてくれた株式会社ワニ・プラス代表取締役佐藤俊彦氏に感謝の誠を捧げたい。

二〇二〇年　五月五日

福山　隆

第一章 「武漢ウイルス」が炙り出した現実

全人類にとって未曾有(みぞう)の災厄となった「武漢ウイルス・パンデミック」。世界中が追い込まれたことによって、皮肉にも、ウイルスの震源地である中国が世界中で行ってきた〝工作〟が白日の下に曝(さら)されるようになってきた。イタリアに代表されるEU各国の抱き込み、国連に対する工作、サプライ・チェーンの要をしっかり握っている現実、人民への容赦ない弾圧……今回のパンデミックがなかったら、一体どんなことが展開されていたのか？　想像するだに恐ろしい話である。また、ロシアもソ連崩壊による失地奪回に勇み足気味である。世界中に情報源を持つ論客とインテリジェンスの世界を渡り歩いてきた元陸将が驚愕(きょうがく)の現実を炙り出す。

中国の国連工作

福山　今回の武漢ウイルス禍で、いままでは薄らとしか見えてこなかったものが、すごく明白に炙り出されたなと思います。子供のころ、庭でちぎった酸っぱい夏ミカンの果汁で和紙に絵や文字を書いて、火鉢で炙ると、それが浮かび上がる炙り出しをして遊んだものです。似たようなことですが、武漢ウイルス禍のなかで米中の諜報・情報戦などがまるで〝炙り出し〟のように露見するようになった感があります。

武漢ウイルス禍で際どい局面に追い込まれた米中は、「ここぞ」とばかりにストレートに諜報・情報戦を行う傾向にあるように見えます。

中国は極端な管理統制社会を形成しており、実際にそれが具体的にどのような悪業をやっているのかが見えてきました。また「一帯一路」でいろいろな国を抱き込んできたことが、いま、明白にウイルスのルートとして可視化されています。イランで感染爆発して、イタリアもひどいことになっています。イランはアメリカを明確に敵国にしているので欧米に頼るわけにはいきません。一方のイタリアは感染が拡大していくなか、医療物資支援をEUに求めました。しかし、「EUのどの国も応じてくれなかった（マッサーリ駐EU大使）」と不満を漏らすように、EUは連帯感を示すには至っていません。逆にフランスやドイツが国外へのマスク輸出を抑止するほど困っているわけです。

　こうした状況につけ込んでイタリアに支援を提供したのが中国とロシアです。中国は、この（二〇二〇年）三月一二日には約三〇トンの医療物資を送ったことに加え、医療チームも到着したことが伝えられています。これを受けたディマイオ外相による「これが連帯というもの」という中国への称賛は、言うまでもなくＥＵへの当てつけで、中国の〝コロナ外交〟の勝利です。ロシアのプーチン政権も、武漢ウイルスの感染が深刻なイタリアへの支援に力を入れています。三月二二日以降、専門家や医療機器を積んだロシア軍の輸送機一五機が現地入りしました。イタリアを取り込み、ＥＵの対ロシア制裁の緩和、さらに究極的にはＥＵに楔（くさび）を打ち込み、ＮＡＴＯ（北大西洋条約機構）の分断を狙う思惑も透けて見えます。

西村　さらにいえば、アフリカへの工作も着々と進んでいたことが判明しました。今回のＷＨＯ（世界保健機関）のテドロス事務局長の動向を見ていると、中国共産党への忖度（そんたく）だらけです。よくよく考えれば国際連合こと連合国（国際連合も連合国も英名はUnited Nationsで同じ）、私はあえて「連合国」と呼びますが、そのほとんどの機関はいま、中国共産党の言いなりなのです。ＷＨＯは中国共産党の一組織みたいなものです。

習近平に"挨拶"するテドロスWHO事務局長（AFP＝時事）

福山　すべてが明確に見えてきました。国連は原則として加盟国が平等な権利を持っています。経済力や人口にかかわらず、一国が一票の投票権を有しています。中国は発展途上国への経済援助を通じて親中国グループを形成し、ポスト確保や発言力拡大に利用してきたのです。加えて中国の国連通常予算分担率は昨年（二〇一九年）、米国に次ぐ二位になっています。

西村　私も今回の武漢ウイルス・パンデミックで中国共産党がどういうことをやっているかということが、はっきり見えてきたと思います。WHOの動向からわかるように、チャイナの連合国機関への力の行使というのは徹底しています。連合国人権理事会なんていうのはほとんどチャイナの意向に沿った議題でグルグル回っています。日本の慰安婦問題などが未だに取り沙汰されるのですから。

ほんとうに笑ってしまうのが人権理事会ですね。運用について、ウイグル人やチベット人の人権侵害はもちろん、漢人の人民の人権も平気で侵している中国共産党がイニシアチブを持っているという、冗談みたいな世界がいま、連合国の国際機関で起きているわけです。そのため、旧日本軍による南京大虐殺という捏造（ねつぞう）に関する資料が、ユネスコの世界記憶遺産に透明性も歴史的検証もないまま、チャイナの申請通りに登録されたりするわけです。

ＷＨＯでいえば、今回の新型コロナウイルスを「武漢ウイルス」と呼びません。「チャイナ・ウイルス」とも言いません。差別を誘発するということで、発生した地域名を付けて呼ばないようになったのは、二〇〇七年から二〇一七年の間、事務局長に中国共産党の送り込んだ香港の女性、マーガレット・チャン在任中の二〇一五年でした。

なぜ彼女が地域の名前を付けないと決めたかというと、ＳＡＲＳが中国広東省発だったためです。ＳＡＲＳには地域名は付いていませんが、そのあとに感染拡大したＭＥＲＳはMiddle East Respiratory Syndrome（中東呼吸器症候群）としっかり地域名（Middle East）が付いています。

意地悪な見方をすれば、今後、チャイナからいっぱい新型のウイルスが出る、あるいは兵器として使えるのが出るだろう。だから地域の名前が付いていると困るということで、「新型ウイルスには地域名をつけないことにする」と言い出したのかもしれません。

　地域名を付けないことにするなら、過去のウイルスで地域名の付いているものもすべて、名前を変えないと筋が通らないのに、変えていないわけです、ＷＨＯは。

福山　スペイン風邪、エボラ出血熱、日本脳炎もそうです。

西村　一連のＷＨＯの対応で最初に私が強くおかしいと思ったのは、あのテドロス事務局長が「早く出すべきだ」と批判を受けながらもずっと、非常事態宣言を出さず、三月一一日にやっと非常事態宣言を出したときです。彼は記者会見でこう言いました。

「チャイナのエピデミック（限定された地域での大規模伝染）は終わって、これからパンデミック（エピデミックが同時期に世界の複数の地域で発生すること）が始まる。エピセンター（感染の震源地）はヨーロッパだ」

　記者会見を聞いていて、あれっ？　と思いました。

　彼の発言は要するにこういうことです。チャイナ国内の感染は、もう終わったけれど、パンデミックと見なせる状況になり、そのエピセンターはヨーロッパだといったのです。そのとき、この人は平気で恐ろしいことを口にするな、と恐怖を感じました。テドロス事務局長は、そこで確実に、「武漢ウイルス」と、いま、アメリカやヨーロッパでたくさんの人を殺している「ウイルス」をはっきり分けました。

これはかなり政治的な発言だったので、ほんとうに驚きました。しかしながら、日本のメディアで、こんな重要なことに誰も言及しておりません。

じつは三月一日に——これもほとんど報道されていないのですが——国営通信社の新華社の配下にある出版社が、単行本を出そうとしました。『２０２０大国战疫』というタイトルで、英語で「A BATTLE AGAINST EPIDEMIC」（エピデミックとの戦い）というサブタイトルまでついている。中国共産党中央宣伝部の指令でつくられた出版物で、チャイナが独自の社会体制で、世界に先駆けて新型コロナウイルスに打ち克ったというサクセス・ストーリーの本です。要するに中国共産党による一党独裁体制が疫病に勝利したことを宣伝し、西側が拠っている民主主義体制より自分たちが優位に立っているということもアピールする内容です。

三月一日に発売されるという報道がチャイナ国内であったのですが、じつはチャイナの人民のものすごい批判——ふざけるな！　みたいなこと——が、ネットで湧き出て、それで発刊を控えたと想像できます。だからまだ発売されていないのです。

いまのところ幻の刊行物

中国共産党はすでに二月中旬から、そういう広報作戦を考えていたということです。もし中国国内の反発がなければ、三月一日にこの本は出たでしょう。中国共産党はこうやって新型コロナウイルスに打ち克った。それで身に付けた知見を基にこれから世界を助けにいきますよ！　といったプロパガンダが準備されていたのです。その流れの一環でテドロスのパンデミック宣言のとき、パンデミックの中心はヨーロッパで、もうチャイナのエピデミックは終わったと言わせているわけです。これ、恐ろしく用意周到で、すごい話だと思います。中国共産党のほぼ意図のまま世界の、とくに日本で目立ちますが、メディア・コントロールが進んでいる。

福山　中国は孫子の兵法の国で「兵は詭道なり」とされています。

詭道というのは要するに騙くらかし、いかさまです。そういうことで軍事力を実際に使うことなく調略（＝謀を巡らすこと）するというか、そういう手段を伝統とする国です。非常に似ているのは韓国。例えばサッカーなどでは、審判の買収などが行われてきました。

調略するためには、相手を徹底的に調べ上げます。例えばテドロスという人物はどういう出自で、何が好きで、どんな問題を抱えていて、悩みを持っているのかを調べ上げるのです。中国の国益につながるポジションにある者はすべてやります。日本からＷＨＯ本部に行った進藤奈邦子さんもきっと調べ上げられていると思います。中国に影響力のある者は全員、抱き込むのです。

それをいまの武漢ウイルス事態における覇権争いのためにやったわけではなく、もうずっと昔から用意周到に営々とやってきたわけです。そういう意味においては、WHOのみならず、FAO（国連食糧農業機関）から何から、もう国連機関はほとんど中国の国益に引っ掛かるところは工作しています。何しろ中国共産党は台湾に代わって、常任理事国の拒否権まで奪取したのですから。

国連は戦勝国がつくったけれども、あとから俺たち中国共産党が乗り込んでいって、世界覇権を握るために徹底的に利用してやる。もしくは中国の国益を上げるための道具だという位置付けです。それを意図的に、確信犯的にやっています。

西村　そんな流れからきた危機感を複数の国が抱くなか、国連のWIPO（世界知的所有権機関）の次期事務局長を選ぶ選挙が三月四日、ジュネーヴの本部で行われ、シンガポールのダレン・タン特許庁長官が、中国の王彬穎（ワンビンイン）WIPO事務次長を五五対二八の大差で破り、当選しました。二〇〇九年から事務次長を務める王氏は、アフリカ諸国などから支持を集め、有力候補と見られていましたが、「知的財産を盗用している」などと中国を批判するアメリカが、知的財産の保護を促進するWIPOのトップに中国出身者が就任するのを警戒したほか、一五ある国連の専門組織のうち四機関でトップを占める中国が影響力を一層拡大することを懸念して、日本やアメリカ、ヨーロッパなどがタン氏を推しました。

福山　アメリカをはじめヨーロッパ諸国も目が覚めたのでしょうか。要するに今回、WIPOの事務局長というポストは中国がものすごく入れ込んで、取ろうとしたのです。これは「中国製造二〇二五」――二〇一五年に中国政府が発表した、以後一〇年間の製造業発展のロードマップ。二〇四九年の中華人民共和国建国一〇〇周年までに「世界の製造大国」としての地位を築くことを目標に掲げている――に直結する話ですから。恐らく中国共産党のなかで、国家ぐるみの戦略的・長期的なマスター・スケジュールをつくっているのでしょう。そのなかには、細かい案件別の計画が張り巡らされていて、どの部分はどういうゴールを狙うのかをすべて明確にしていると思います。その責任者までも。その責任者を叱咤しながら、目標達成を目指しているのでしょう。勿論、結果を出せない者は容赦なく替えると思います。

アメリカの立場からすると国連がいうことを聞いてくれないからと嫌気が差し、こんなに拠出金を出しているのにと、ますます距離を置こうとします。案の定、トランプ大統領は四月一四日、WHOへの資金拠出を一時停止するよう政権の担当者に指示したことを明らかにしました。その理由として、WHOが武漢ウイルスについて中国の主張をうのみにし、パンデミックに関する情報共有を怠ったことを挙げています。勿論、アメリカから拠出金を止められれば、国連とWHOは困るわけです。早速、グテーレス国連事務総長は「新型コロナと戦っているWHOなどの人道的機関の活動資金を削減するときではない」との声明を発表しています。

これはもう中国の付け目で「アメリカが拠出金を出さないなら、我々中国がお金を出しますよ」となる。これで武漢ウイルスに対する対処において、中国が主導権を握って世界を仕切れることになれば、中国にとっては安いものです。ほんとうに油断も隙もないというか、壮大な戦略を立てている。中国によるこれまでのWHOに対する工作が功を奏し、今回、狙いぴったりにたまたま降って湧いたように、タイムリーに武漢発のパンデミックが発生したわけです。まるで中国共産党が予期していたかのように。もし中国共産党がほんとうにそれを予測していたのであれば、ますますパンデミックを確信犯的に引き起こしたエビデンスになると思います。

WHOの台湾への締め付け

西村 二〇〇七年、マーガレット・チャンがWHOの事務局長になった時点で、チャイナのWHO支配が始まりました。それでWHOの台湾への締め付けがものすごく厳しくなった。二〇一一年五月には「中華台北」の名義でオブザーバー加盟している台湾を「中国台湾省」と呼ぶように内部通達していたことがわかり、台湾外交部から抗議を受けています。二〇一六年には民進党政権が成立した台湾にひとつの中国を特記したWHO総会の招待状を送り、二〇一七年には中国共産党の意向を受けて台湾をＷＨＯ総会に招待しませんでした。

そして二〇一七年、チャイナのアフリカの進出拠点であるエチオピアの人間が事務局長になったということです。ＷＨＯの台湾への締め付けは継続しています。テドロスはエチオピアの王制を廃止したティグレ人民解放戦線のメンバーなので、昔から北京に近かった可能性もあります。

福山　トランプ大統領はそれを巻き返そうと、この（二〇二〇年）三月二七日に超党派の強い支持により成立した「台湾同盟国際保護強化イニシアチブ法」に署名しました。台湾のために具体的行動を取り始めたのですが、遅きに失したという感じもします。

西村　気づいただけでもいいじゃないですか。逆にトランプの行動で初めて、オバマ政権がいかにひどかったかが鮮明になりました。オバマは台湾に関しては八年間、何もしなかった。だから逆にいま、議員が皆、団結して超党派で台湾をサポートしようとしています。とはいえ、連合国（国際連合）人権理事会も結局、アメリカは抜けてしまいました。だからいま、チャイナが最大の資金拠出国で、二番目は日本ですけど、中国共産党のやりたい放題です。

福山　ある識者から聞いた話ですが、国連人権理事会で韓国が従軍慰安婦についてなんやかやと日本を持ち貶（おとし）める主張を展開しました。それに対して日本の大使はいっさい反論せずに黙って、毅然として聞いたそうです。その席にいた外務省職員はそれを「素晴らしい」と自画自賛した文書にまとめて、外務省に報告したという話です。その話を聞いた私は、その日本の大使はバカで無能だと思いました。要するに国のために真剣に戦う気がないのです。この大使は「沈黙は美徳だ」として、外交の場で日本の立場を堂々と弁明しない、外交工作（飲ませたり、食わせたり、女性を抱かせたり）もしない。俗な言葉ですけど。よその国は外交を戦争だと見なしています。

それを日本の大使は、外交の一元化（外務省の縄張り）を主張して、外務省の大使しかやらない聖域に居座って、「俺は偉い、日本を代表する大使だ」というようなツラをして格好をつけ、外交をやっている――実際的な外交にはまったく役に立ってはいないのですが――から、日本はどんどんどんどん埋没していく。中国や韓国などでは、こんな大使は即クビです。

中国共産党がＷＨＯにいろんな仕掛けをしているのに、日本は世界標準からすると消極的且つ専守防衛的で、お粗末すぎます。一方、共産主義国家はどんどんウイルスのように世界を侵食するというのが基本スタンスで、コミンテルン以来の思想と戦略・戦術をいまでも持っているわけです。そういう点ではアグレッシブさが違うというのがひとつ、あるような気がします。

西村　いや、やっぱりボケているのですよ。いま、チャイニーズがトップを務めている国連機関はＦＡＯ（国連食糧農業機関）とＵＮＩＤＯ（国連工業開発機構）、ＩＴＵ（国際電気通信連合）、それからＩＣＡＯ（国際民間航空機関）の四つです。

福山　ＩＴＵは、サイバーの分野を抑える要ですよ。「中国製造二〇二五」にも重要です。まさにキー・ポイントを的確に押さえています。中国の戦略性はこういうところに表れていますね。

西村　西側はいままでそういう中国共産党のやり方を許してきていたということです。

じつは最近ほんとうにガッカリしたことがありまして、団塊の世代以降の私と同じぐらいの世代の、あまりよく知らない国会議員ですけど、ＳＮＳに書き込んでいたのです。一月の終わりくらいだったと思いますが、武漢ウイルスのことで、戦いだとか、敵だとかっていう言葉を安易に使う政治家がいて、ほんとうに恥ずかしいかぎりだとか、平気で書いているのです。なんか昔の社会党みたいな書きっぷりです。さすがにこの期に及んで、多くの賛同は得ていないのですが、まだいるのですよ、こういう考え方を良しとする人たちが。もうガッカリしちゃって、ああ、こんなのがまだいるのかと思って。彼らの思っている現実はまったく現実ではない。

武漢ウイルス感染と〝濃厚接触文化〟

福山　二〇二〇年四月現在、武漢ウイルス感染が拡大している上位二〇ヶ国を見ると、アメリカ、スペイン、イタリア、ドイツ、イギリス、スイス、ベルギー、オランダ、カナダ、ポルトガル、ブラジル、スウェーデン、オーストリアと、キリスト教国（旧・新教）が多いことがわかります。

非キリスト教国は、中国、イラン、トルコ、韓国、イスラエルの五ヶ国しかありません。このうち、韓国はキリスト教の影響が強く、クラスターになったのは教会でした。大邱市にある「新天地大邱教会（新天地イエス教証しの幕屋聖殿）」で〝スーパー・スプレッディング〟が起こったほか、「恩恵の川教会」でもクラスター感染が起こりました。

また、イスラエルのユダヤ教（旧約聖書に基づく）は謂わばキリスト教とは兄弟関係にあります。厳密にいうと、キリスト教に関係ないのは、中国、イラン、トルコの三ヶ国のみで、イスラム教でも濃厚接触が起こります。男女は別々ですが、キリスト教の比にならぬほどです。御祈り場の濃厚接触を見てください。だから、イラン、トルコも濃厚接触の国なのです。

キリスト教国やイスラム教国で感染者が多いのは、仏教国にはない〝濃厚接触文化〟――私の造語ですが――があるからではないかと推察します。

西村　確かにそれはありますね。しかも、その〝濃厚接触文化〟はセックスにも通じるものがある。肉体と肉体をなるべく濃厚に接触させようという生活習慣も文化そのものです。日本人の生活文化が最も今日まで残る形で形成され、固まっていったのは、江戸時代です。そのころから欧米人と違う性への淡泊さがありながら、おおらかさはありました。混浴文化などその象徴で、肉食文化の欧米人とは違います。

それと一緒に、日本人の清潔好きも昔からですね。江戸時代末期に続々日本へやってきた欧米人が一様に驚いているのは、日本人の清潔さです。渡辺京二氏の『逝きし世の面影』（平凡社ライブラリー）には、そんな欧米人が日本人の清潔さに驚嘆して、彼らの著作に書き記した様子が克明に引用されています。福山さんはクリスチャンですが、どうお感じになっていますか？

福山　イエス・キリスト教の教えの核心には「愛」があると言われます。イエスが教えた「愛」には二種類あり、ひとつは神に対する「愛」で、もうひとつは「隣人愛」です。私は、キリスト教の教える「隣人愛」――自分を愛するようにあなたの隣人を愛しなさい――を体現する行為として、ハグやキス、それに握手があるのではないかと思います。伝染病防疫から見れば、ハグ、キス、握手は濃厚接触そのものです。あるオランダの科学者によると、情熱的な一〇秒間のキスで約八〇〇〇万個の細菌・ウイルスを共有することになるらしいです。

西村　先ほど武漢ウイルス感染が拡大している上位二〇ヶ国にキリスト教国家が多いとおっしゃいましたが、このようなことも理由のひとつではないでしょうか。

福山　〝濃厚接触文化〟の強弱は、ラテン系＞ゲルマン系＞スラブ系でしょう。ちなみに、武漢ウイルスへの抵抗力には民族差がある気がします。スラブ民族（東欧、ロシア）の抵抗力は、西欧のラテン系・ゲルマン系民族よりも優れている印象です。東欧・ロシアは西欧よりも寒冷であり、医療的進歩も劣っていると思われるのに、武漢ウイルス感染拡大が低調なのは不思議です。敢えていえば、武漢ウイルスへの抗体力はスラブ系＞ゲルマン系＞ラテン系でしょうか。

余談ですが、国別セックスの年間回数データを見ると、世界各国は日本の二〜三倍です。セックスは、究極の濃厚接触といえます。日本で、感染爆発（オーバー・シュート）が起きない理由のひとつはセックスレスではないでしょうか？

西村　最も濃い接触ですから。

福山　しかもキスしたり、ハグしたりするのは生活習慣ですから、西洋の人たちはどんな人だって、なかなかやめられませんよ。食事をするのとニアリー・イコールです。

西村　日本人の肉体接触を過剰にしない文化も、欧米並みの感染を防いでいる大きい原因なのでしょう。それと、あまり言われていないのが不思議ですが、家に土足で上がらない生活習慣が非常に大きいし、トイレも「ご不浄」という言葉で表現してきています。私の母方の祖母は明治二七年生まれで深川育ち、下町娘。それでもトイレを「ご不浄」と言っていた記憶があります。

福山　気づいていても、下品だってことで誰も言わないのかもしれませんが、それは一理あるのではないかと思います。

バンカー・バスターよりずっと怖いもの?

西村　いや、それはきちんと指摘してもいいと思います。ちゃんとした言い方をすれば。

そういえば、以前に聞いた福山さんの話は興味深かったです。つまり、バンカー・バスター（地中貫通爆弾）で一〇〇mの岩を貫通していっても、それより深いところに潜伏しているため殺せない人間（金正恩（キムジョンウン）のようなＶＩＰ）が、秘書から家政婦から大勢、引き連れているわけです。彼らを介してウイルスがずーっと伝わっていったら、地下壕に逃げこんでも安心できません。金正恩はその恐怖におののいているのではないかと。

バンカー・バスターでも地下深くには届かないけれど、人がウイルスに感染してしまえば、地下深くまで持っていってしまうというご指摘は「なるほど」と思いました。

福山　どんなに権勢を誇る国の元首であろうと、一個人、例えば金正恩という人間に戻ったとき、何よりも恐ろしいのは、おのれの命が奪われることです。「国のため、人民のため、最大限の防疫をやる」という発言は非常に聞こえがいいですが、とどのつまりは、彼がいなくなったら、あの国の体制は成り立ちませんから、秘書や身の回りの世話をしている者がウイルスを持ち込むことの恐怖、それを西側が意外と見落としている本質じゃないかというふうに、私は思ったわけです。

西村　死にたくないでしょう。そのわりには、ほんとうに太っていますが……あんなに太って、健康なわけがないです。

福山　彼の年齢で普通の健康状態だったら、心配ありません。ただヘビースモーカーで極度の肥満（糖尿病？）の彼が武漢ウイルスに罹（かか）ったら、イチコロでしょう。中国やフランスから、どんな最新医療機器を持っていこうと、持病だらけのようですから。

西村　この（二〇二〇年）四月一五日から金正恩の健康不安説、死亡説といろいろ出ていますね。

なぜ感染爆発しないのか？

福山　昨年（二〇一九年）一二月の下旬から春節の終わり（二〇二〇年一月三〇日）にかけて、累計でものすごい数の中国人が、湖北省や武漢も含めて、日本に来ているわけです。ということは、冷静に考えたら、あのとき、物凄い数のウイルスが日本国中の「三密（密閉・密集・密接）」の空間に溢れていたはずです。じつは日本人の多くはそのときすでに感染していて、抗体ができているのではないかと思うのです。

西村　確かにあのときにうつらなかったら、いつうつるのでしょうか？　あのときは、バスの運転手さんとか、ガイドさんとか、何人か症状が出たと報道された程度でした。しかしながら、東京の満員電車はその当時典型的な「三密」だった。冬なので窓は閉めたまま。すぐそばにチャイナの若者たちがいて、ギャンギャンしゃべっている。そんなところに、一五分、二〇分もいたら、感染してもおかしくありません。それと同じような状況にさらされていた東京や大阪の人たちはとてつもなく多かったはずです。

いま起きていることだけがクローズ・アップされていますが、それゆえひょっとしたら日本人にはすでにうつってしまっていて、抗体ができている人が多いのかもしれません。微熱が出て、鼻水が出たり、のどが痛かったりして、風邪っぽいなと思ったけれど、収まって、終わっちゃった……そんな人たちというのはかなりの数、じつはいるのではないかと思うのです。

福山　もしもそれが事実だとすれば、習近平の「武漢ウイルスばら撒き戦略」が日本にはかえっていい作用を及ぼしたと思います。なぜなら彼は昨年一二月の時点で武漢ウイルスの発生を知っていたわけです。それをひた隠しにして、春節を迎えたのです。彼にとって春節というのは大きな決心のしどころだったはずです。武漢ウイルスを抑え込むために、全国民一四億人を国内に囲い込んで、一歩も移動させないというオプションと国内はもとより世界中に〝感染拡大旅行〟をさせるというオプション、すなわち従来通りの内外大移動をやらせるかです。

ただ囲い込むと、人民に相当なストレスが溜まり、爆発する恐れがあります。それで〝感染拡大旅行〟をさせたのではないでしょうか。その狙いは——ウイルスが海鮮市場から発生したのか、当局が意図的にウイルスを散布したのか、ウイルス研究所から漏出したのかはわかりませんが——中国国内に蔓延するのであれば、「世界の指導者で俺だけが矢面に立つのは嫌だ。全世界に分けてあげよう」というのが、ひとつの戦略だったと思います。国内外で感染拡大させたあと、中国がなるべく速くリカバーする。要するに感染は中国からすると遠隔地のアメリカやヨーロッパには遅れて拡がるわけですから、「俺が勝ち組になれる」という、密かな算段をしたのではないでしょうか。だからいまになって、「中国が加害者」と世界中が非難しているのは、当然のことなのです。意図的な決断でウイルスを世界中にばら撒いたわけですから。

風俗業界が怖い

福山　春節のころ、上野で高校の同期と麻雀をやったのですが、アメ横を歩いたら、中国人観光客だらけでした。マスクもしないでそのなかを歩いて。よく感染しなかったなと思います。

西村　ウイルスを撒きにきたようなものですよ。それから、そういう連中のうち、たぶん男どもは風俗に行っているはずです。

福山　なるほど。濃厚接触したわけですね。

西村　小池百合子東京都知事が記者会見で言った「夜のなんとか」というのは、明確にはしませんでしたが、セックス産業も含めた風俗のことです。

福山　それ以上、濃密な接触はないじゃないですか。

西村　新宿歌舞伎町なんて、報道が出ていますが、クラスターになっているところが複数あるでしょう。風俗で働いている女性たちには中国人もいます。残念ながら風俗で働いている人の多くはもう感染者だと思われます。

福山　しかもそういう産業は別に東京だけの話ではないです。札幌のススキノだって、福岡の中州だってそうです。

西村　しかもススキノは日本のヤクザが完全に駆逐されています。仕切っているのは、もう二、三年前からチャイナ・マフィアです。

福山　女性を調達するのもたやすいわけですね。向こうから連れてくるのも、合法・非合法で。

西村　最初に北海道で感染が広まったのは、チャイナとの特別の関係の強さからきています。あと、チャイニーズに土地が買われて――北海道の一〇％が買われていると言われています。

福山　兵庫県くらいの大きさですね。

西村　その買われた場所で、じつは最初に感染者が発見されています。感染者が出た地域と買収された地域が一致している。地図を確認するとわかります。そういうことはごく一部のメディアしか報道していません。今後はしっかり追及しないといけないことだと思います。

福山　要するに濃密――三つの密ということが言われていますが――の究極は、そこ、セックスです。「感染経路不明」の理由の一端もそこにあるのではないでしょうか。

武漢ウイルスに乗じて開発

福山　話は戻りますが、今回のウイルスは武漢で出てしまった。そういう推論が主です。出てしまったからには、中国国内で囲い込む――中国国内だけで蔓延するのはよろしくない。だから、「世界中に撒いてしまえ」と習近平が決断して、春節で、感染者だろうがなんだろうが、どんどん世界中に旅立たせたという……。

西村　私の想像では、最初の時点で習近平はウイルスの蔓延を防ごうと思ったのです。昨年（二〇一九年）の一二月までに北京まで新型ウイルスが発生したという情報が届いていたかどうか、ちょっとわかりませんが……。恐らく習近平は「隠して防ごう」と虫のいいことを思ったのでしょうが、それができなくなったので、この際だからリリースして世界を巻き込もうと。ちょうど米中経済戦争も不利な状況にあるし、その打開に利用しようと思ったのではないでしょうか。

福山　確かに最初の情報が出始めたころ、中国のような全体主義国家の常として、下部機構やテクノクラート――省の役人やお医者さんとか、スペシャルなカテゴリーの人たちが、その情報を北京に上げます。ただ、湖北省の共産党幹部はまずい話で自分の出世に悪影響があるということで、隠蔽（いんぺい）しようと思った。

西村　チェルノブイリの原発事故――一九八六年にソ連のウクライナ（現・ウクライナ共和国）で起きた原発事故――も、そういう側面があったじゃないですか。

福山　ただ、隠蔽にも限度があります。限度を超えたら、習近平側、要するにキャビネット（政権中枢）のなかにその情報が入ってきます。そのときに次の判断が下されるわけですが、情報がいつごろ上がってきたのか……私はもうどう考えても、春節以前には来ていたと思っています。

西村　いや、そうです。

福山　そのときに――いま、アメリカで中国を相手取って集団訴訟をやる動きが広がっていますけど――私は世界に対して、結果としてはホロコーストにつながる、極めて重大な決心を習近平がしたのではないかと思います。その意味で習近平は世界中の人々の命を奪った犯罪者です。

中国指導部が「よし！　こういう修羅場を奇貨として、人民全員に腕輪などを付ければ、ＩＴで体温から血圧からその人間のプライバシーのすべてがわかるようなシステムをつくり上げられる。それで個人の情報を取れるだけ取ってモニター〜管理する。それによって、反体制の人間をいっさい出さない（習近平）独裁体制が出来る。ついでに、中国発展の『お荷物になる高齢者』の〝処分〟もできる」。こう考えたのでは？

習近平自身が言っているのですが、こういう個人を弾圧するための情報ネットワークを、「病気の蔓延を阻止する」という大義名分に乗せて確立することは、いとも簡単です。例えば三〇人、五〇人の顔を一度に撮って、体温がすべて、一瞬に識別できるというのですから。それは個人のプライバシーのモニターにも使えるわけです。

西村 そのシステムで人権侵害と全体主義を完璧に成立させられますが、世界にセールスする意図もあるかもしれません。

福山 それもありですが、第一の目的は、個人を完全にモニターして、要するに習近平、共産主義独裁体制に反抗するような人物を二四時間・三六五日監視することですね。

西村 中国共産党指導部に忠誠を誓う人間しか国内に置かないと。

福山 全人民一四億人をＩＴでフィルターに掛けるのです。大義名分としては、それで「コロナ感染者を見つけ出す」とするのです。コロナ感染阻止のために「誰と接触したかをすべて見つけ出す」という名目で、反政府運動の組織化を監視・防止できます。これで全人民をフィルターに掛けることを正当化して、反体制分子を洗い出し、弾圧する。そういう側面を見ると、習近平には現代の諸葛孔明というか、相当な天才肌のブレーンがいると思います。一四億人もいれば日本では想像もつかないくらいの「鬼謀の持ち主」がいることでしょう。

統制国家とアルゴリズム

西村　二〇二〇年中に、北京市民、二二〇〇万人全員の階層分けを、チャイナ企業のITプラットホームで行う計画があります。電子決済システムによる消費動向、ライフスタイル、それから思想傾向等をすべて分析して、AランクからEランクまで——要するに中国共産党にとって、いちばん都合のいいA。以下B、C、D、Eとランク付けをするというプロジェクトがある。

福山　それはすべてアルゴリズムで全部、管理するのですね？

西村　二〇二〇年中に、取りあえず北京市民だけに適用する。そういう話が去年（二〇一九年）か一昨年（二〇一八年）の段階で出てきていました。

要するに今回の武漢ウイルス蔓延をうまく、福山さんがおっしゃったように、当てはめて利用すれば、例えば誰と接触したかとか、その接触はどういうものだったかとか、どういう空間で接触したかなどを含めて、個人の行動をすべて把握する。まさに、イギリスの作家、ジョージ・オーウェルが第二次世界大戦後に当時のソ連を想定して執筆した、恐ろしい全体主義国家誕生を予感させる近未来小説『１９８４』の世界です。

福山　『１９８４』の世界を支配する独裁者、ビッグブラザーですね。

西村　ビッグブラザーに習近平がなろうということです。取りあえず一四億人を監理していくことができれば「一帯一路」を通して、世界の覇権掌握を狙える。そのツールにはチャイナのＩＴプラットホーム企業のバイドゥ（Baidu）、アリババ（Alibaba）、テンセント（Tencent）の頭文字を取ったＢＡＴと呼ばれる企業群があります。それにファーウェイ（Huawei）を加えればＢＡＴＨになりますね。

問題はそれだけでなく、米国企業の例えばグーグルやフェイスブックです。彼らが市場に最も強く求めているのは利用者のデータ、個々人のデータですから、図らずして中国共産党と一致しています。しかも、技術も簡単に盗める。

とくにグーグルはチャイナと因縁があります。グーグル・チャイナの検索エンジンが二〇〇六年に発表されましたが、二〇一〇年に大規模なハッキング攻撃を受け、検索結果の検閲についての論争が起きている最中に突然、チャイナ本土から引き上げました。しかし二〇一八年、グーグルが「プロジェクト・ドラゴンフライ」という新しい検閲機能付きチャイナ向け検索エンジンのプロトタイプを秘密裏に開発中だと報じられました。この検索エンジンは人権侵害にあたると騒がれるなか、ペンス副大統領がグーグルに「プロジェクト・ドラゴンフライは中国共産党の検閲を強化し、中国人民のプライバシーを危険にさらす可能性がある」とし、中止するように要請しています。そして、グーグル社内のプライバシー担当部署からの指摘によって、開発は中止されたといいます。グーグルがチャイナという世界最大の市場に再び参入するか？　彼らは「プライバシーの保護」という原則を曲げ、中国共産党の要求通り検索を検閲するかもしれません。ＡＩが両者をどう近づけ、新たな協力体制を築く可能性があるのかを知る必要があります。

中国共産党には世界全体の〝ビッグブラザー〟になっていこうという戦略があると思います。その目標が二〇四九年の達成。中国共産党結党一〇〇周年です。

福山　いま、最大の問題は感染経路不明の感染者が激増していることです。いわゆるクラスター爆発。中国共産党が開発中のこのシステムを使えば、この問題は即座に解決しますね。

西村　感染経路がわかるということですね。

福山　接触者全員、完璧にわかります。感染経路だけではなく、木の枝を伝うように細かいプライバシーまでわかります。そうなると、感染していなくてもクラスター感染の発生した場所にいた者は全員、隔離できます。突貫工事でつくった武漢の「病院」と称された施設は、どう見ても収容所ですよね？　私は、アウシュヴィッツを見る思いがしましたが。あのようなところに集団隔離してしまうのです。人命軽視の中国共産党からすれば、隔離者は死んでしまっても構わないですから。そういう最先端の技術と荒っぽい手法を駆使して、「俺のとこは早急に克服したよ」と世界にアピールする。

さらに言うと、いまやアメリカと中国の感染者数、死亡者数は完全且つ圧倒的に逆転していますが、アメリカの感染者が急激に増えた時期、中国のサイバー攻撃が最大限になっていたのです。要するに中国共産党からすれば技術さえ取ってしまえば、こっちのものです。アメリカが弱っているときがチャンスで、その盗んだ技術を使って全エネルギーを投入し、全体主義的な経済運営をやれば、早急に復興しアメリカとの経済競争に勝てると踏んでいる。

人民解放軍の動き

西村　それに加えて、注目していることがあります。人民解放軍の動勢です。ふたつ見方があるのですが、ほんとうに習近平の指揮の下で動いているのか、あるいは軍部が習近平の言うことを聞かなくなって、動いているのか、それはわかりません。ただ確実に武漢ウイルスが広まっている最中に、ハワイまで人民解放軍の海軍が遠征していって、アメリカ海軍と衝突寸前になっているのです。そしてあろうことか、グアム西でアメリカ軍哨戒機に軍用レーザー——搭乗員の目を負傷させたり、機器を破壊したりする兵器——まで照射しています。それがこの（二〇二〇年）二月一七日の出来事です。

福山 その事件があったのはグアムなのですか？　南沙諸島ではなく？

西村 グアムですよ。『読売新聞』（二〇二〇年三月二九日付）の国際面に記事が出ています。

福山 レーザーを照射したのですか？　哨戒機に？

西村 ええ。あと、我が国の尖閣諸島海域には海監と呼ばれる日本の海上保安庁の巡視船にあたる公船が連日来ています。ハワイ遠征と連動しているとなると、ほんとうに恐ろしいことです。

四月二八日には空母「遼寧」を中心に、六隻の人民解放軍海軍の艦隊が沖縄本島と宮古島の間を抜けて北上し、東シナ海に入りました。遼寧は同一一日にこの海域を南下し、南シナ海で演習をしていたそうです。遼寧が沖縄本島と宮古島の間を往復したのは初めてです。

福山 それは例えば東日本大震災のとき、ロシアと中国がまるで協調しているかのごとく、日本の領空や領海にアクセスしたのと根っこは同じです。それに対してアメリカが空母を派遣しました。要するにトラやライオンのような肉食獣は、ちょっとでも弱り目の獲物を狙うわけですから……。日本に隙があれば、すぐにガブリと嚙みつくわけです。憲法前文や第九条には、まったくそういう発想がありません。

西村　我々日本人はその現実を知っておかないといけない。福山さんがおっしゃっていたように、今回のウイルス騒ぎで、チャイナは不利な展開だった米中経済戦争の逆転を図りつつ、軍事でも、そういう動きを、いま、見せているということで、要注意です。

ロシア、中国の動きから見える世界の激変

西村　あと、軍事に関してはもうひとつ、じつはイタリアにロシア軍が入りました。

福山　ロシア軍がどんどん行っていますね。

西村　軍事国家としての臭覚がすごく鋭いというか、「支援」と称して入っています。

福山　大型輸送機のアントノフとか、軍用トラックとか……。

西村　まるで第二次世界大戦が終わったとき、ソ連軍が駐留したイタリアのような感じです。イタリアは国家主権がどこにいってしまったのか、わからない状態です。まるで中国共産党とロシアに牛耳られている印象です。

福山　共同作戦です。

西村　それにもかかわらず、ＮＡＴＯはいま、指をくわえて見ているだけです。警告できない。

というのも、かつてEUがイタリアを助けなかったからです。EU議会はイタリアの予算、医療の予算を削るよう言っていたわけです。それでイタリアはますます反EUの機運が高まり、昨年（二〇一九年）三月、G7で初めて中国と「一帯一路」構想に関する覚書を締結したのです。そういう状況で、いま、EUもガタガタになっています。

福山　もっと言えば、彼らはイタリアだけではなく、スペインにも行くと思います。ロシアにとってスペインといえば、旧ソ連時代の「スペイン内戦」時代の〝思い出〟があります。スターリンはコミンテルンが派遣した国際旅団（約一万五〇〇〇人）を通じスペイン内戦に介入した経緯がある。プーチンの脳裏にもその歴史が蘇（よみがえ）っているのではないでしょうか。

西村　ソ連の支えたマヌエル・アサーニャ率いる左派の人民戦線政府（共和派）がフランシスコ・フランコを中心とした右派反乱軍に敗れた。

福山　コミンテルンの勢力拡大工作の一環で、スペインでは一九三六年の総選挙で左派が勝利し、マヌエル・アサーニャ（左翼共和党）を大統領とする人民戦線政府が成立しました。それに対して右派がフランコを中心に反乱を起こしました。反ファシズム陣営である人民戦線をソ連、メキシコが支援し、作家のヘミングウェイ、マルローなど知識人も数多く義勇軍として参戦、フランコをファシズム陣営のドイツ、イタリア、ポルトガルが支持・直接参戦するなどしました。

結局はフランコが勝って、右派独裁政権が成立しました。ロシア・プーチンはある意味、この敗北を本能的に覚えていて、「再びヨーロッパで巻きかえしを図るには、武漢ウイルス禍で揺れているこのときしかない」と思ったのではないでしょうか。加えて東西冷戦が終息して俺たちが弱り目、祟り目のときに、お前ら（＝西陣営）はNATOを東に向かってどんどん拡張したではないか。バルト三国も取ったし、チェコも取ったし……。

西村　彼らの論理から言えば、そうですね。しかし、バルト三国はヤルタの密約で国際法も何もかも無視した米国大統領、フランクリン・D・ルーズベルトとソ連のスターリンが、勝手に第二次世界大戦後の領土分割を決めたわけですからね。日本敗戦後の東京裁判で初めて登場した「国際謀議」という罪状は、アメリカとソ連にあったのだと言いたくなりますよ（笑）。

福山　武漢ウイルス禍こそ千載一遇のチャンス。我々日本の憲法第九条の世界には、まったくそういう発想はありませんが、さらに言えば、日本も武漢ウイルスのダメージがどれほどなのか不透明なのですが、状況次第で中国は尖閣諸島に来ますよ。

西村　習近平はコロナ対策で主導的に動いているように見えますが、じつは彼の批判勢力も活発に動いています。

福山　そう思います。だから軍を味方につけたい彼は、人民解放軍首脳に目こぼしをして、意向を酌んで「お前たち、やるならやれ」と言っている可能性はあります。習近平に対抗するさまざまなライバルグループがいて、彼らがどんどん「お前の体たらくは一体どういうことだ」と習近平に言い始めれば、それを逸らすために軍事行動に出かねません。

とくに注意すべきは台湾です。例えば台湾海峡でミサイルをぶっ放してみるとか、人民解放軍には石原莞爾(いしわらかんじ)――旧陸軍の軍人で、関東軍作戦参謀として満州事変を起こした――や日本海海戦の名参謀の秋山真之(あきやまさねゆき)みたいな優れた頭脳を持つ参謀がゴロゴロいます。彼らは一〇〇個ぐらいなら、突拍子もない謀略的アイデアをすぐに考え出します。

そのなかで、最もアメリカをドキッとさせ、「俺たちはもうこんなに復興したんだ」というアピールを世界に見せつける。それは現下武漢ウイルス禍中にある国々への医療支援のみならず、軍事的行動も暴発させる可能性があります。これからなりふり構わないすごい時代が来るのではと心配しています。

西村 これは今回とは別立てで話すべきだと思いますが、そんな時代になるのなら、ほんとうに憲法第九条などというものは、〝普通の〟国家であれば自然消滅します。

いま、福山さんがおっしゃった人民解放軍の頭脳の優秀さは侮れません。一九九九年に「超限戦」という理論を人民解放軍のふたりの将軍がつくり、出版しています（邦訳は『超限戦』〔喬良、王湘穂著　劉琦訳　角川新書〕）。新しい戦争の概念の提唱で、いわゆる工作員による情報戦、敵国のメディアを操作して中国共産党に有利になる報道を流させる世論戦、金融戦、サイバー戦、土地買収、人口侵略、宇宙戦など、あらゆる手段を使って戦争に勝つ戦略を策定しました。

そして二〇一七年には「超限戦」を発展させた概念も発表しています。それは、上海社会科学院が『21世紀戦争演変与構想：智能化戦争』という書籍にまとめたもので、簡単に言えば、ＡＩやロボットを駆使して戦争に勝つ戦略です。チャイナは様々なＩＴ企業も組み込んで戦争の方法を変えようとしています。ただ人間の代わりにロボットが戦い、無人兵器が空中戦をしたり、戦車として動いたりするというのではなく、レプリカントですか、人間にＩＴを組み込むような改造人間まで構想されています。ＡＩが作戦参謀になる。そんなことまで考えている。ＳＦ映画の世界です。『マトリックス』や『ターミネーター』のようなありえない世界、ディストピアをもたらすようで恐ろしい。共産主義者の唯物論者がこれを究めたら本当に恐ろしいです。

福山　私はＪＢプレスに、武漢ウイルス禍によって憲法第九条は空文化するか、改正されると書きましたが、現実としては空文化でしょう。改正をしようという動きがないまま、世界情勢が激変して第九条はまったく意味をなさないセンテンスになってしまう。

西村　もう現実が全部、第九条に勝ってしまっているわけです。

第三次世界大戦

福山　最近のお茶の間のテレビを見ても、新聞を読んでも、コメンテーターの発言を聞いても、昔のように右派と左派が喧々諤々と論じあう場面が見られません。なんとなくショボっとして、現状をトロトロと伝えるだけで、敵を見失っているというか、現実のコロナの世界に反発できないで意気消沈しているように思えます。コロナに対して反発しようもありませんが。

私はいままさに有史以来の全国で本土戦をやっているのだと思うのです。武漢ウイルスが日本全土に上陸し、市街戦をやっているのです。第三次世界大戦と呼ぶべきだと思うのです。

西村　間違いなく第三次世界大戦です。

福山　それで第一次世界大戦と第二次世界大戦は、人間と人間の憎しみ合いでした。ただ今度は全然違います。相手はエイリアンみたいなもので、その意図を理解するのは不可能です。敢えていえば、神の「啓示」を伝えているのかもしれない。我々人類は、その「啓示」を正しく受けとめなければ滅ぼされるかもしれません。まるで、黙示録の世界のように。

さらに大きな違いがあるのです。それは先のふたつの世界大戦ではアメリカが無傷に終わりましたが、今回はアメリカが最大級の被害を受けています。だから、アメリカに対して「戦後復興」の牽引力になることを期待できなくなります。

西村　二〇二〇年三月三一日の時点で、死者が三〇〇〇人を超えて「九・一一」を抜いたとトップニュースで報道されていたら、四月一日で四〇〇〇人超えですから、一日で一〇〇〇人、死者が増えているわけです。尋常じゃないです。

福山　とんでもない事態です。トランプ大統領は「いま最大限のコロナ対策を施しても、少なくとも一〇万人が亡くなる」と言っています。対策をちょっとサボったら、二二〇万人とも。

西村　はい、言っています、二二〇万人と。

福山　第二次世界大戦において我が国で亡くなったのは、軍民合わせて三一〇万人です。だからもう広島・長崎のホロコースト以上の事態が来るだろうということです。

西村　アメリカが最悪二二〇万人の死者を出すかもしれないというなか、チャイナは「収束した」と言っていますが、公表した数字以上の死者が出ているはずです。そうすると、中国共産党、共産主義独裁が崩壊するかもしれません。

福山　そしてアメリカの凋落が続くかもしれません。それから欧州の没落。良い面を考えれば、人類同盟ができるかもしれない。要するにいままで覇権争いで対立していた世界が、全然違う次元の危機に対峙したために全人類的に手を結びましょうという方向にならざるを得ないということです。これはイスラエルの歴史学者、ユヴァル・ノア・ハラリ氏が『日本経済新聞』（二〇二〇年三月三一日付）の特集面で言っていることとです。私はそれがこの第三次世界大戦というべきアンチ武漢ウイルス戦争の置き土産ではないかと期待しています。

戦勝国は存在しない

西村　私はハラリの見解はどうも信用できないのです（笑）。この人、ほんとうにイスラエル人なのかと。甘いというか、言葉を換えれば、冷戦終結後の世界を半年前に予測した論文「歴史の終わり」を一九八九年四月に書いて一躍時代の寵児になった日系の政治歴史学者、フランシス・フクヤマの三〇年後の焼き直しのような気がするのです。フランス革命から始まったヨーロッパ近代が生んだ「進歩主義史観」――歴史は進歩してゆくもの――というイデオロギーが、西欧型民主主義が共産主義に勝つことによって終わったと、簡単にいえば、そうフクヤマは書きました。

ハラリの場合は、もっと古い啓蒙主義に戻っている。しかも典型的なグローバリストでナショナリズムを否定している。だからトランプを批判しますが、いまはいきすぎたグローバリズムをナショナルなものが押し返している状況です。中華帝国の成立を狙う中国共産党が共産主義のグローバリズムとグローバル経済をうまく操り、強大な全体主義国家になった。ハラリにはそんなチャイナへの批判の視点がない。ウォール街の投資家、ジョージ・ソロスと被るのですよ。彼の世界共存思想は、バートランド・ラッセルの世界連邦みたいなユートピア幻想であって、中華帝国主義にあっという間に喰われてしまうと思います。

ですから、いまこそ日本が、世界が共存できる新しい哲学や方法論を、そういう道を指し示すことができると思います。しかしながら、悪意あるチャイニーズがそれを阻もうとするでしょうね。中国共産党が崩壊して、五つか六つの国に分かれれば、それは可能かもしれません。ウイグルやチベットもきちんと独立した状況です。

福山　中国共産党はいま、統制崩壊を必死に阻止しようとしています。今回の武漢ウイルス禍を奇貨として、海外に対して「一帯一路」をさらに強化するとアナウンスしたりして……。

西村　一方、アメリカが武漢ウイルス禍を対岸の火事だと思って放置していたら、相対的に患者と死者の数が爆発的に増えてしまった。だから逆に中国はアメリカより先に経済的に復興できる可能性が出てきました。経済戦争でアメリカに優位に立てる可能性も当然あります。だからいま、必死に武漢ウイルスに悩まされている国々に手を差し伸べまくっています。

福山　今後の動きについて、大きく分けると三つのシナリオがあります。

第一は、第一次世界大戦、第二次世界大戦のような戦勝国が存在せず、すべての国が沈没する。

それで少し落ち着いてきた段階で「国際協力をしようか」という気運が生まれるというもの。先に触れたハラリの提唱している流れです。

第二は、中国による覇権奪取です。各国が武漢ウイルス禍で疲弊し、シュリンクしてドングリの背比べ状態のなか、戦勝国はないわけですから、着々と中国が覇権への道を進んでいくという流れです。第一次世界大戦は武器が発達して、塹壕戦をやった地獄のような体験から、まるでユートピアのような国際連盟ができたわけです、国際連盟は第二次世界大戦の勃発を防げませんでした。それで第二次世界大戦後、もうちょっと現実を見据えた国際連合ができました。

西村　集団安全保障ですね。

福山　でも、拒否権を持つ戦勝国の常任理事国が存在し、自国益を優先させたため、拒否権乱発で機能しなかった。今回の第三次世界大戦とすらいえる危機では戦勝国はいません。すべての国がシュリンクしています。そのなかで覇権争いという様相も勿論ありますが、これから巨大な気候変動、大規模な水害、巨大台風（ハリケーンやサイクロンも）、南海トラフのような巨大地震などがどんどん来る可能性があります。コロナについても変異して免疫や新薬の効かないさらに新種のコロナというのが出てくるかもしれません。さらにはインフルエンザも格段に進化した強力なものが出てくるかもしれない。我々は常にバージョン・アップしたウイルスのパンデミックとの戦いを連続的にやらざるを得なくなる可能性があります。

要するにこれからは、人類同士がいろいろ諍いをしても仕方ない、エイリアンのような人類共通の敵に人類全体が対峙する世界になってくる。これが第三のシナリオです。

西村　第三のシナリオには若干異論があって、そうはならないと思います。世界的にはそういう方向に行くかもしれませんが、人間はやはり愚かですから、昔と同じことの繰り返しをずっとやっているのに過ぎないのではないか、つまり全体がシュリンクするなかで、覇権を握ろうとする国が出てくると思うのです。

福山　人間が愚かということについては一〇〇％同意します。でもこれまでの歴史とは様相が違うと思うのです。繰り返しますが、これまでは敵が同じ人類でしたが、これからは違う存在――ウイルスであったり自然災害であったり――で、人類が協調して対峙しないと太刀打ちできないほど巨大な〝敵〟なのです。そこに私は期待したいのです。

地下鉄サリン事件が明らかにしたこと

西村　じつは福山さんにすごくお訊きしたいことがあります。細かくなりますが、地下鉄サリン事件のとき、最初に現場に入って対処されたときの話です。

要するに司令で化学防護隊にいらしたのですよね？　当時はまだ防衛庁でいまとはかなり時代が違いますので、動き方とかにいろいろ制約もあったのかどうなのか、そのあたりのことも知りたいのです。また、実際に指揮を執ったとき、いつサリンであるということに気づいたのか、それで、現場に対して、指示するときにどういうことに注意したのかということ。細菌戦とは違う、つまり今回の武漢ウイルス感染とは違いますが、軍組織として、どういうふうに現場で対処されたのかということに、すごく興味があるのです。

福山　化学防護隊ではなく、市ヶ谷に駐屯する第三二普通科連隊長でした。じつはオウム真理教の連中は、どこかから種を貰って（もらって）きたのでしょうが、炭疽菌（たんそきん）やボツリヌス菌を実験室でつくっていたのです。実際にそれを被害者を支援する弁護士に引っ掛けたりしています。それが手に負えないくらいまで広がらず、ほとんどダメージがなかったから良かったのですが……。

西村　純度が低かったのですか？

福山　それはわからないですね。ただ明らかに細菌戦・化学戦の走りのひとつはそこにあったと思います。かねてから我々自衛隊は細菌戦にも化学戦にも、独自のマニュアル「特殊武器防護」をつくって、訓練していました。細菌も化学も攻撃するということでは決してなく、防御するというオペレーションです。ソ連や中国などが細菌兵器や化学兵器をつくって攻撃してきたら、どうするのかということで、装備なども全部独自に開発して、準備していたのです。だから最小限の対処はできたわけです。

西村　そういう備えがあったから対処できた。

福山　細菌戦については、いろいろマニュアルもつくりました。しかしながら、当時社会党などの左派護憲勢力が旧軍の七三一部隊などを関連づけて騒いだので、マニュアルさえもボツになったのです。廃棄させられたのですよ。何もなかったからいいようなものの、細菌テロで多くの犠牲者が出ていたら、社会党や共産党はどう弁明したでしょうか。

だから例えば仮にゴジラが出てきたとき、最後は「自衛隊、行け」と言われるのですが、まったく法的な裏付けもないし、何の準備もしていないなかで、突然「やれ」というのがいままでのパターンだったのです。それでも自衛隊はどんな困難なことでもやり遂げてきました。今度のクルーズ船、ダイヤモンド・プリンセスの件でも、自衛隊の司令官を責任者として、すべて自衛隊に仕切らせたら、もっとうまく対処できたと思います。

西村　確かに自衛隊は非常によく対処しました、いまになって、高く評価されていますね。感染者をひとりも出さなかったですから。

福山　今回の武漢ウイルス禍を機に、新しい安保体制をつくるべきだと論文を書いたのですが、それについて一期先輩の圓藤春喜元陸将補からメールをいただきました。圓藤先輩がまだ二佐で陸上幕僚監部で勤務しておられたころの話ですが、社会党が「自衛隊が毒ガスや生物兵器対処を準備しているのはけしからん」と国会で追及し、「特殊武器防護」というCBR兵器——毒ガスなどの化学〔chemical〕兵器、細菌などの生物〔biological〕兵器、及び放射能〔radioactive〕兵器——に対処（防護）するための教範を破棄させられたというのです。その意味で、社会党と共産党は、今日の新型コロナウイルスに対処する自衛隊の能力を毀損した責任があります。将来、日本の国防を揺るがす事態が起これば、自衛隊の充実強化を長年にわたり阻害し続け、国民の安全を蔑ろにしてきたこれら左翼政党と『朝日新聞』『毎日新聞』などの左翼メディアは責任を問われなければなりません。

以下はそのことを記した圓藤先輩からのメールです。

〈我々が陸幕の二佐で頑張っていた頃、社会党が「自衛隊が毒ガスや生物兵器対処を準備しているのはけしからん」と国会で追及し、特殊武器防御という教範を破棄させられたことを思い出しました。

化学兵器に対しては密かに化学学校が研究を続けた結果、オウム事件でのサリン攻撃をかろうじて乗り切ることができました。

あの事件を契機に、化学攻撃対処も大っぴらにできるようになっています。しかし生物兵器への対処は、オウム事件のときに彼らが使おうとした「炭疽菌」攻撃が不発に終わったため忘れられたまま手がついていません。もしこのとき大きな被害が出ていたらその後の生物兵器（今回の武漢ウイルス禍を含む）への対応は違ったものになっていたように思っています。

以上感じたまま。〉

西村　破棄させられたのですか。それはひどい話ですね。

福山　そのほかインテリジェンスに関するマニュアルも、共産党から追及されて、破棄しました。化学兵器に対しては、埼玉・大宮に化学学校というのがあって、そこで深く広く研究しています。それで防護マスクなどの装備をつくったのです。だからオウム事件では、サリン攻撃をかろうじて乗り越えることができました。逆にこの事件を契機に、化学兵器対応の活動については大っぴらにできるようになったのです。しかし生物兵器への対処は未だ足りていない。左派護憲勢力が警戒するのは、やはり七三一、石井部隊からの流れです。

西村　といっても、七三一は防御ではなく、攻撃を研究していたわけではないですか。

福山　仮に攻撃に研究結果を応用しようとしていたとしても、敗戦でそれらノウハウをすべて、アメリカとソ連が持っていってしまいました。彼らはそれを基礎にして、細菌戦兵器や部隊をつくって、知らんふりです。結局日本だけが自虐史観で我々の先人は無辜の市民を人体実験に使ったと非難囂々です。石井四郎軍医中将も空の上で憤慨していることでしょう。

西村　そもそもアメリカは七三一をまったく問題にしなかったじゃないですか。

福山　すべてが同じところに収斂している印象なのですが、先程来申しあげているように、左翼勢力の妨害がなかったなら、今回の武漢ウイルス禍への対処はもっと適切にできていたと思うのです。つまりオウム事件のとき、彼らが使おうとした炭疽菌等の細菌に対してもっと真剣に防御方法などを考えるべきだったのに、実際の被害が出なかったためか、忘れられたまま、手が着けられていませんでした。自衛隊がきちんと対処してマニュアルを作成するなどの準備をしていれば、今回の武漢ウイルスに対してももっと効果的に対応できたと思うのです。

　後手後手というべきか……普通、国家というものはどこでも法で、安全保障に関する枠組みをつくっています。例えばアメリカは大統領を最高司令官にして明確に組織的に対処するようにしています。意図的だと私は思っているのですが、日本国憲法ではスッポリと、その法的な体制が抜け落ちているのです。

西村　抜けています、完全に。

福山　サリン事件の起きた年に、日本は化学兵器禁止条約に署名しています。国会が承認したらすぐに査察が来るわけです。査察を受ける場所は唯一、大宮にある陸上自衛隊の化学学校です。

査察以前のことですが、私が見た動物実験では、ウサギをガラスケースのなかに入れて、マニピュレーターでウサギの目にポトッと、毒性の低い模造サリンを落としました。するとウサギは三回くらいクルクルクルと回って、コロッと死にました。その後勿論高熱で焼いて処理しました。このとき、「ああ、化学兵器とはこんなに恐ろしいものなのか」とビックリしました。

そういうことを営々とやっていましたが、そんなななかで査察を受けることになったわけです。それで私の三二連隊が命じられたのは、左翼の連中が轟々（ごうごう）と「なんでそんなことをやっているんだ」と大騒ぎして、大宮駐屯地にデモ隊が来るだろうから、それにどう対処するかと訓練せよというわけです。そうしているうちに、思いもしなかった地下鉄サリン事件が起きました。私の部隊は押っ取り刀でなんとかしのいだ。そうしたら空気がガラッと変わって、「よくやった」と称賛された。こんな御都合主義な話です。

西村　下手に考えると、社会党が反対していたなんて……当時北朝鮮と社会党は関係が深かったのです。一方で北朝鮮の生物化学兵器開発は進んでいたわけですから、ものすごくキナ臭い。北朝鮮の司令で動いていたのかもしれません。まさに利敵行為の社会党ですね。

福山　生物兵器はちっぽけな宗教集団だったオウムですらできた話ですから、北朝鮮だったらお茶の子さいさいですよ。いちばん簡単なのは天然痘です。日本では種痘――天然痘の予防接種――をある世代からしなくなりました。一九七六年を境にしてだそうです。というのも、一九八〇年に天然痘ウイルスは撲滅され、自然界に存在しないものとされているからです。ただ、種だけはあります。

西村　種は各国の生物兵器開発機関が持っています。

福山　北朝鮮が意図的に天然痘患者をつくり出し、そいつを東京の山手線内を数時間、グルグルグルグル、回したら……。

西村　感染力が強いのと種痘を受けていない人が多いので、あっという間に広がります。

福山　手の打ちようがないでしょう。いまや細菌兵器というのはかなり自由に開発できます。兵器には求められるいわゆるスペック（性能）があります。例えばミサイルをつくるとき、どういうスペックにするかを決めるわけです。射距離はどれくらいにしたいか、命中精度はどれくらいにするかなどです。戦車でもなんでもそうです。そういう指針のようなものをつくるのです。

一方で細菌兵器をつくるときは、いままでは自然に発生したものを培養して、炭疽菌やボツリヌス菌を使うという話でした。ところがいまはまるでミサイルや戦車をつくるときのように、まずスペックを決めます。そして遺伝子を操作することによって、これまでは人間には感染しなかった細菌やウイルスがうつるようにするとか、所望の害毒をもたらせるようにする……とかができるようになったのです。だから今回の武漢ウイルスも人間に感染するのは、最初からそうだったのか、遺伝子操作等でそういうふうにつくったのか、このあたりは謎です。そういう謎のウイルスが、突然、また、ある時期に——今回は中国から出ましたが——アメリカから出るとか、ロシアから出るとか、ヨーロッパから出るとか、日本から（外国の仕業で）出るとか、そんなことがあるのではないかと思うのです。末恐ろしい世界です。

もうひとつ言えることは、いま、そこにある敵ではありませんが、いままでの安全保障はイデオロギー対立のなかでソ連が攻めてくる、中国が攻めてくるかもしれない。だから憲法を改正して、国防軍をつくらないといけないという話でした。しかしながら、これからは南海トラフ地震で三二万人が亡くなって、太平洋沿いの経済インフラがすべて吹っ飛ぶ話とかになってくるわけです。だから大きく発想の転換（パラダイム・シフト）をする必要があると思います。いわゆる人類と自然災害の対峙というか、パンデミック、大地震、津波……そういうものとの戦いを想定した、全人類的な安全保障というのを考えるべきです。

西村　新しい安全保障の概念ですね。それも必要です。

福山　神さまから与えられた、もうどうしようもないアホというかバカというか、アベルとカインの末裔（まつえい）のような人間がパラダイム・シフトできるかどうか。そういうことだと私は思います。

第二章――蔓延するウイルスの背後でうごめく各国の動向

世界中で、今回の武漢ウイルス・パンデミックが意図的な漏洩か否かと、情報戦が繰り広げられている。パンデミック被害の出ている国に援助の手を差し伸べる中国に、新しいコロナウイルスを開発していた証拠となるいくつかの事象が浮上してきている。そんななか、世界中で囁かれているのが「少なすぎやしないか？ 中国の感染者数と死亡者数」という現実。熾烈な米中の発生源を巡る情報戦は今後どのような事態を招くのか？ 一方、対艦ミサイルを撃ち込まれたと同様の機能不全に陥った、アメリカ海軍空母から見える新しい軍事的脅威とは？ 新しい秩序形成に向けて、世界が動き始めている。

武漢ウイルス発生当時の印象

西村　そもそも武漢ウイルスが出てきたときの最初の見立てというのは、どんな感じだったのですか。当初一般的には海鮮市場から発生したとかいわれていました。ネット上では生物兵器の研究所から事故で漏れたとか、いろんな説がありましたが、福山さんの見立ては如何でしょうか。そもそもの発端に関してですが。

福山　中国との密接な接近でイタリアやイランでは感染爆発したという見方もありますが、じつは、私の最初の見立てでは、アメリカによる細菌戦で、アメリカが手を出したのではないかと疑いました。なぜならば、アメリカに逆らう韓国、イラン。イスラエルを敵視するイラン。そして、「一帯一路」の最終的なヨーロッパ制圧の拠点であるイタリア。これらの国々はストレートに「一帯一路」で連鎖しているじゃないですか。そのあと、アメリカをはじめ世界中であんなに燃えさかるとは思わなかったから、当初私はこれはアメリカが仕掛けたのだと思ったのです。

もしアメリカが仕掛けたとしたら、エビデンスとして明白になるのは、アメリカが武漢ウイルスに対して全面的に安全であるということです。太平洋と大西洋を隔てていますから、すべて水際でブロックできます。アメリカが第一次世界大戦、第二次世界大戦と同じように、自国にはまったく火の粉を被らないでいられるのなら、アメリカによる細菌戦という可能性はものすごく高いと思ったのです。しかし、それが崩れた。アメリカがいま火だるまじゃないですか。それを見ると、見立てを間違えたと思います。

防衛医科大学出身で医者、もう防衛省は辞めて、ある民間病院の院長をやっている私の友人がいるのですが、彼に「今回の武漢ウイルスの件はどう見立てるか」と聞いたら、「いまの技術をもってすれば、ウイルスの変異は遺伝子学的にどういう系統で来たかというのがわかる」と言うのです。つまりどういう経緯で、どこで発生した（つくられた）かがわかると。遺伝子のどの部分が違うということがわかれば、細菌戦を仕掛けるために遺伝子操作は決して許されませんが、犯人は簡単に特定できるというのです。

そのことにちなんで、四月一四日付の『毎日新聞』によれば、世界の患者から検出された武漢ウイルスの全遺伝子情報（ゲノム）を解析したところ、遺伝子配列の変異パターンが大きく三つ――「広東、日米豪」「武漢」「欧州」――に分類できることを、英ケンブリッジ大などの研究チームが明らかにしたといいます。やはり、変異は追跡できるのです。

武漢ウイルスの「出自」を巡りアメリカと中国が論争し、情報戦を展開しています。このようにゲノム解析が進めば、科学的証拠としてその「出自」が特定できるかもしれないですね。

西村　逆に言うと、いま、アメリカで中国相手の訴訟の話がいっぱい出ているのは、そのあたりのエビデンスをつかんだからではないですか？　もしくはつかめるとアメリカ側が踏んでいる。遺伝子の連鎖というか、ゲノムの系統を辿っていくと、ウイルスの元がわかるということですよね？

福山　そうです。いままで自然界のコロナウイルスに罹って、死んだ人間はいなかったわけです。それがこれだけ多くの人が罹って死ぬようになったというのは、そこには何かの遺伝子操作あるいは自然発生的な突然変異などがあるからです。その操作が自然発生的――例えば核実験で発生した放射能でそうなったのかもしれませんが、そこには人為的なものがあるかもしれません。しかも裁判になってくると、白昼堂々とバックグラウンドなり、学術的な論議なり、その資料が国際的に出てきます。であれば、一種の情報戦に発展すると思います。だからアメリカとしてはCIAなどの情報機関を総動員するでしょう。政府が意図的に訴訟しろといっているわけですから。どこでその裁判をやるのか、国際司法裁判所でやるのかもしれませんし、アメリカの裁判所でやって、中国を呼び出すのかどうかはわかりません。しかしながら、例のファーウェイの女性副社長を逮捕したように、アメリカは国内の法律を操作することなど、なんでもできますから。

武漢ウイルスは漏れたのか？

西村　基本的な考え方かもしれませんが、生物兵器をつくって、敵を攻めようとします。そのとき、自らも感染する可能性というのは否めないですよね？　感染は絶対ないとは言えないじゃないですか。ということは、生物兵器を使うとなったら、治療薬をつくってからになるのではないかと思います。今回の武漢ウイルス、治療薬がないわけです。ひょっとしたら、どこかにあるかもしれないですけど。そういう状況で「意図的にアメリカが攻撃をした」とか「中国が蔓延させた」というのは、何かいまひとつ、信憑性に欠けるような気がします。

これは私の推論ですが、中国共産党が武漢で新しいコロナウイルスをつくろうとしていたことは確かです。実際、二〇一八年一月に米国国務省が武漢の生物研究所に、そこで行われている研究が危険であると警告を発していた、という大スクープがこの（二〇二〇年）四月一四日に『ワシントン・ポスト』によって報じられました。しかも、これは私が発見した資料ですが、二〇一八年四月五日にＣＣＴＶ（チャイナ国営放送）が、武漢の生物研究所で新しいコロナウイルスの研究が行われていると誇らしげに伝えるニュースを流していました。

それが漏れた。そういう事故というか。あるいは実験に使用した動物を海鮮市場で売ってしまったとか——チャイナでは現実にそういうことがたくさん起きています。生体実験に使用した馬の肉を、勝手に実験の責任者が売ってしまったとか。それで処罰されたという話があるのです。

福山　ソ連時代、スヴェルドロフスク州（現ロシア連邦中央部の州でモスクワの東一四〇〇㎞）では、細菌兵器の炭疽菌（たんそきん）が漏れる事故が起きています。細菌兵器開発施設から漏れ出た炭疽菌は、風で数キロメートル先の市街地に散布されました。住民七七人が吸入炭疽に罹患し、六六人が死亡しています。住民は政府が公表した「家畜由来の炭疽菌流行」を信じて、街の木々やビルを洗浄し、未舗装の道はアスファルトに変わり、野良犬は皆殺しにした。ソ連当局は事実を隠蔽（いんぺい）し「家畜が炭疽菌に感染し、汚染した肉を食べた住民に消化管炭疽が、接触者には皮膚炭疽が発症した」と虚偽の見解を崩しませんでしたが、ソ連崩壊直後の一九九二年、ロシア連邦のエリツィン大統領（当時）が隠蔽のあったことを認めました。

西村　今回もやはりそういう形だと思います。

話は変わりますが、これは今年一月下旬とかなり早い時期の情報です。ブッシュの父親が大統領の時代に、生物兵器禁止法という国内法の法案策定をした国際法の学者がいます。いまはかなりの高齢なのですが、フランシス・ボイル博士といいます。彼がリチャード・ハイダリアンというジャーナリストのインタビューを受けていて、「中国共産党がつくった細菌兵器だ」とはっきり言っています。
そのほかの情報としては、カナダで最先端の細菌研究所にいる中国人の夫婦がいるのですが、妻のほうは、カナダでも著名研究者で優秀な人だったのですが、去年（二〇一九年）三月、研究所にあるエボラ出血熱のウイルスを勝手に持ち出して、夫とともに武漢に逃げてしまったのです。夫も中国人でコロナウイルスの研究家です。この事件はカナダで去年七月に報道されています。こういう話をあとで知ると、もうまるでフレデリック・フォーサイスが書いた話のようになるじゃないですか。

福山　そういう複数の話を積み上げていくと、漏れたという説も説得力がありますね。

西村　武漢には「Ｐ４研究所」という、中国科学院武漢病毒研究所に属する、ＳＡＲＳやエボラ出血熱等の危険な病原体を研究する、中国で唯一の研究室があります。そこからなんらかの理由で漏れたのだと思います。加えてアメリカのＣＤＣ（疾病管理予防センター）が武漢ウイルス発生後すぐに査察を申し入れたのですが、いっさい断っています。

福山　ＷＨＯだけで武漢に入りました。

西村　あれは査察ではなく、「応援に行こうか」といっただけですね。しかも二月の中旬です。テドロスとか事務局の連中が行っても、何もわからないです。さらに奇妙なのは、陳薇（チェンウェイ）という人民解放軍少将の女性科学者がいるのですが、彼女が武漢のＰ４研究所のトップとして二月上旬に北京から着任しています。彼女は二〇〇四年にＳＡＲＳにうまく対処して、海外へのパンデミックを防いだことで出世した疫病の専門家ですが、武漢の研究所に党の指令で責任者としてやってきた。人民解放軍の管理下に置かれたといってもいい。そしてその直後に武漢で大爆発まで起きている。「Ｐ４研究所」の証拠隠滅で爆破されたともいわれています。それだけ多くの疑惑があれば、国際的な査察があってもおかしくないのです。

それでアメリカで上院議員が、国際的な調査チームをつくって査察しなくてはならないという決議案を提出しています。すでに上院で可決されています。日本ではほとんどニュースになっていませんが、そういう動きも出てきています。

福山　当然、アメリカとしては「武漢ウイルスが漏れた」ことを暴きたい意向があって、かなり早い段階からトランプが「武漢に応援に行く」と言っていました。応援という名目で武漢に査察に入ろうとした。

西村　中国共産党がそれを黙殺したのは、人民解放軍の細菌兵器のノウハウがすべて白日の下に曝(さら)されてしまうからでしょう。

福山　アメリカにはＣＤＣに加えＰＨＳＣＣ（公衆衛生局士官部隊：Public Health Service

Commissioned Corps）もそのチームには加わるはずでした。

ＰＨＳＣＣとは何か。アメリカでは、パンデミックやエピデミックと見なされる感染症への対処を、国家安全保障の問題と明確に位置付けています。国民の生命・財産を脅かすという点では、感染症も外敵の侵略も、テロも同じなのです。それゆえ米国では、感染症対策を国防と同列の国家安全保障問題のひとつと捉え、強力な感染症対処システムを保持しています。それがＰＨＳＣＣで、アメリカ陸軍・海軍・空軍・海兵隊など八つある軍人組織のひとつでもあります。

同組織は上位組織である公衆衛生局とともに、保健福祉省に直属します。トップは医務総監であり、その階級は海軍中将（Vice Admiral）で、保健福祉省の保健次官補に直属します。保健次官補がＰＨＳＣＣの士官としても勤務している場合は、海軍大将（Admiral）が補任されます。

ＣＤＣが武漢に入るなら、ＰＨＳＣＣの要員も加え、そのノウハウも持っていくのです。アメリカが営々と蓄えてきた、細菌戦についてのノウハウというのを全部、彼らは知っているわけですから。そういう将校連中が武漢に入って、サンプルを取るなり、現地のいろいろな話を聞くなりすると、人民解放軍の細菌戦能力について全体評価ができてしまいます。

西村　わかりますよね。それをチャイナはすぐ見抜いています。「いや、いや、いや、いや、結構ですよ」と。こういうわけです。そこは明らかに日本のメディアが知りえない秘密の会話です。

もうお互いに手の内を知っています。元はといえば、それは日本の七三一のノウハウがベースなのですが。

細菌戦のノウハウは活きたのか？

福山　ほんとうに武漢ウイルスを押さえ込んだかは疑問だとしても、中国は武漢の閉鎖を解除できるまでに回復しています。彼らには人民解放軍が有する細菌戦についてのノウハウがあって、それが活かされたわけです。細菌戦は攻撃するだけではなく、防疫（感染症の流行を防ぎ、侵入を予め防ぐ方策）が必須です。人民解放軍には詳細かつ膨大なマニュアルがあるはずです。密かに軍は勿論、民間も駆り出してそのマニュアルを応用したのでしょう。

逆に言えば、アメリカはあれだけの優れた細菌戦のノウハウを持ち、優秀な人材を抱えていながら、なんであの体たらくなのか。世界戦略の要であるはずの原子力空母四隻が、武漢ウイルスの感染者が出たために、まるでミサイル攻撃を受けたかのように動かなくなった。

西村　セオドア・ルーズベルト（母港：カリフォルニア州サンディエゴ）などですね。四月六日までに約四八〇〇人の乗組員のうち一七三人が感染したそうです。事実上の任務停止ですね。ほかにもニミッツ（同：ワシントン州キトサップ海軍基地）、カール・ビンソン（同：ワシントン

空母セオドア・ルーズベルト（AFP＝時事）

州ブレマートン基地）、ロナルド・レーガン（横須賀海軍基地）にも感染者が出ています（二〇二〇年四月九日現在）。

福山　アメリカにしてみると、対艦ミサイルをぶち込まれたのと同じ結果です。

要するに今回の武漢ウイルス禍について「戦争」という表現が頻用されていますが、真意はそういうことですね。軍艦が撃沈されたと同じように、機能しなくなるわけですから。米国の原子力空母には特別なミサイルが搭載されていたり、トップクラスのさまざまなスペシャリストが搭乗していたりするわけです。そういう人たちがいないと動かせない。今回の一七三人がすべてそういう特別部門の要員ということはないでしょうが、なかに何人かはいると思います。

さらに密閉空間というならば、アメリカのシャイアン・マウンテン空軍基地です。この基地はコロラド州シャイアン・マウンテンという山の中に設えられていて、巨大なＩＣＢＭ（大陸間弾道ミサイル）の司令部がありました。いまはこの司令部はほかの場所に移ったようですが、密閉空間であることに変わりはないと思います。敵から核ミサイルを撃たれたのがわかったら、報復の核ミサイルを発射します。その司令をする部署があるのです。そういう密閉空間にこもっている兵士や将校が、三〇％くらい新型ウイルスに感染したら、どうなるのだということです。

あるいは世界中に展開している原子力潜水艦も似たような問題を抱えています。原子力潜水艦はエンジン動力の潜水艦と違って、半年間は浮上せずに、しかもレーダーの届かない深海を潜行し続けることができます。そしてＳＬＢＭ（潜水艦発射弾道ミサイル）を撃ち出す能力も持っています。この組み合わせが中国などには最も脅威なのです。なぜならどこから核が飛んでくるのかがわからないからです。つまりＳＬＢＭはアメリカにとってものすごく重要な核抑止戦力なのです。しかしながら、原潜も完全な密閉空間ですから、今回の空母と同じような弱点を持っている。今回の武漢ウイルス禍でこういうことが浮き彫りになってしまったのではないか……そう思えてなりません。

中国の感染者数と死者数が怪しい決定的なエビデンス

西村　軍の防疫という点から見ると、去年（二〇一九年）九月一八日、人民解放軍が武漢空港で細菌戦に関する訓練というか、防疫訓練かもしれませんが、そんなことをやっています。

福山　それは非常に興味深いですし、タイミングが良すぎませんか？

軍隊というものは年単位で訓練の計画を立てます。最初は個人の戦技（射撃、格闘など）、次に分隊訓練、小隊訓練、中隊訓練、大隊訓練、連隊訓練……と徐々に積み上げていきます。また、その内容も攻撃訓練や防御訓練などさまざまなメニューがあります。

これは、中国の人民解放軍も同じだと思います。中国が、自衛隊にはない細菌戦部隊を保有していれば、当然その部隊はさまざまなメニューの訓練をするはずです。恐らく、市街戦を想定して武漢空港で細菌戦に関する訓練をやった可能性はあります。

防疫訓練というのは山の中でやることもありますが、実際には市街戦でも細菌兵器が使われることも想定されます。だから、年間にこなすべき訓練メニューのひとつとして、たまたま武漢空港で訓練をやったという見方もできますが……今回新型コロナウイルスが発生した武漢ということになると、非常にそこには意図的なものを感じますね。

ているわけですよ。

西村　実際、訓練のあと、空港の封鎖もやっています。要するに封鎖の訓練のようなこともやっているわけですよ。

福山　バイオロジカル（生物兵器）であれ、ケミカル（化学兵器）であれ、最初にすべきことはディテクト（発見、探知）といって「何が使われているんだ」「病原菌は何なんだ」を突きとめることです。そして「それはどういう地域に散布されているのか」ということも含め、まずは被害を起こしている原因に関する情報の収集です。その情報がわかったら、被害の起きている場所に入らないようにブロックします。その場所をクリーニングするために、徹底的に焼くなり、消毒をするなりして、除染をしていきます。じつはやることは非常にシンプルなのです。

恐らく見た目には、道路を封鎖したり、鉄道や飛行機を止めたり、非常線を張って立ち入り禁止にしたり、物々しいことをしていますが、防疫でやるべきことはそれだけです。だからその空港を舞台にした訓練も恐らくそのような訓練内容になっていたものと思われます。

さらに次の段階では、兵士が倒れたら、救出〜隔離をして、薬があれば薬を投与するという、それだけのことです。それがエボラ出血熱であろうと、サリンであろうと手順は同じです。

中国が武漢ウイルス感染発生の約三ヶ月前に、人目につく武漢空港で公然と細菌戦の訓練をやり、それをリリースしたというのは解せません。のちに、「自作自演」をやる予定があるのなら、公開するはずはないでしょう。

西村 福山さんのお話をずっと伺ってこう思いました。恐らく中国共産党は新型コロナウイルス開発をし、細菌戦の準備を着々と重ねていたのです。準備を進めている、「さあ」という前の段階で、なんらかの事故で漏れたか、実験に使用した動物の肉が市場に出てしまったかで、人民に感染者が出た。中国共産党は「偉いことになった」と思ったはずですが、一方で、防疫についてはすでにある程度の準備はできているから、少しくらい蔓延しても国内では制圧できる。そういう考えをもって、世界中に撒いてしまえと、春節の人民大移動を利用して、リリースしたということではないかなと。

福山 常識的にマクロに見ても、違和感を覚えるのは、あの巨大な人口、一四億人も人民がいる国があの一部の地域・武漢市だけで封じ込め、制圧をしたと言っているわけです。感染者数が八万強。これは虚偽としか思えない。人口が四分の一のアメリカにおける感染爆発と比べて見てごらんなさいよ。まるで、マジックのように沈静化した。

西村 それに対してアメリカは一〇〇万人を超えました。桁が違いすぎです。

福山 当初トランプの言っていた死者数が最低一〇万で最高二二〇万です。武漢ウイルスが中国で蔓延し始めたころ、私はＪＢプレスの記事で中国は一〇〇〇万以上の死者が出る可能性があると記しました。その根拠はこうです。かつてのスペイン風邪では世界の全人口の約四分の一が罹患しています。この比率を、中国に適用すれば、一四億の人口のうち、三億五〇〇〇万人が罹患することになります。致死率を三％と仮定すれば、死亡者数は約一〇〇〇万人強です。

西村　スペイン風邪、すごかったようです。

福山　中国の死者見積もり数が一〇〇〇万人に対して、同じようなスペイン風邪モデルでアメリカの場合を計算すれば、八〇〇〇万人が罹患して、二四〇万人が亡くなります。ワクチンができなければ、罹患者が全人口の七〇％になるまでは感染が広がり続け、集団免疫ができるまでは止まないと言われています。そういう点から見れば、トランプ大統領の発言、最高で二二〇万の死者というのは驚くべき話ではありません。アメリカも日本と同じように、時間稼ぎをして、感染の拡大を抑制しながら、治療薬やワクチンの開発を待つ戦略しか残されていないのです。そういうことからも不思議で仕方ないのは、アメリカで燃え盛るように感染が拡大していることで……。

西村　細菌戦の本家本元ですからね。あり得ない話です。

福山　一方で中国はアメリカよりずっと衛生状況が悪いのです。その中国がアメリカより死者数が少ないというのは解せません。

西村　中国の死者数が怪しい根拠のひとつに、今年（二〇二〇年）二月と三月の携帯電話の未払い件数が一四四〇万もあるという事実があります。つまり中国国内の一四四〇万の携帯電話が、この二ヶ月で料金未払いで契約が止まって、消えたのです。

福山　それは感染者数を疑わせる強力なエビデンスですね。ということは感染数が、携帯電話を持っていない子供まで含めれば、推定二〇〇〇万人ぐらいですかね？

西村　たぶん最初の福山さんの中国に関する見立ては間違っていなくて、ほんとうは死者ももっと出ているのだと思います。それに加えて四月七日にアメリカのシンクタンク、ＡＥＩのデレク・シザーズ研究員が特別レポートを出しました。それによればチャイナの感染者は二九〇万人ということです。確かに四月初旬に世界の感染者が一〇〇万を超えていて、イタリア、アメリカ、スペイン、イギリス、フランスの死者がシナより多いことに納得できる人は少ないでしょう。このレポートは疫学的というより統計学的に算出されましたが、チャイナ国内の死者は一三万六〇〇〇人となっています。先にお話しした、二月、三月のチャイナ全土での携帯電話未払い件数が一四四〇万という数字も気になります。全体主義国家なので公式データはほとんどが嘘(うそ)です。

中国にとっては奇貨だらけの武漢ウイルス

福山　もし習近平が意図的に春節の人民大移動を黙認しているのであれば、一〇〇〇万人の死者を覚悟しています。そして、その大多数は、要するに要らなくなった人民、つまり姥捨てなのです。そうすれば、いちばん理屈に合います。厄介払いを全部してしまおうと。

西村　チャイナにとって人口は最も悩ましい問題のひとつですからね。

福山　中国はそれぐらいの要するに、人民の命を軽く見る国なのだと思います。
　もっと悲惨なのは、ウイグルの強制収容所に一〇〇万人がいると報道されていますが、彼らはどうなっているのでしょう？

西村　中国各地の工場に行かされていたようです。要するに漢民族がもう働けなくなって……。

福山　漢人が結構亡くなりましたからね。

西村　漢人が働かなくなって、収容所から稼働するのが難しくなった工場に強制連行です。要するにサプライ・チェーンを切られないため、工場を止めないようにするのが目的です。

福山　なるほど。要するにチェルノブイリ原発事故のように、国家の存亡がかかるような事態悪化を防ぐため、死んでも構わない人間を投入して対処させたということですね。犯罪人とかを。

西村　いや、彼らは犯罪人じゃないですよ。

福山　そういう人命軽視の世界というか……。

西村　チャイナでは大躍進で六〇〇〇万人、餓死したと推定されていますからね。

ＥＵに楔を打っていた中国

福山　視点をヨーロッパに移しましょう。ＥＵに関しては、武漢ウイルス禍以前にももう経済でかなりガタガタになっていました。イギリスがポピュリズムの波に乗ってＥＵを抜け、ドイツもフランスも自国のことばかり考えるようになってきています。壮大なＥＵの理念はどこへやらで、この先に見えているのはヨーロッパの凋落（ちょうらく）です。

とくにイタリアは地中海に面していることもあり、アフリカや中東からの難民を数多く抱え、経済もかなり停滞していました。要するにカンフル剤が必要だった。それで政治ではポピュリストを自認するコンテが二〇一八年に首相になりました。国民というものはおいしい話に飛びつきますから。コンテ首相は中国を呼び込み、二〇一九年三月、中国の「一帯一路」協力の覚書にＧ７で初めて調印しています。これはアメリカやＥＵの懸念を呼びました。

もうひとつ、私が注目したいのはギリシャです。ギリシャという国は中国から見ると、ヨーロッパへと至る大きな要衝です。すでに中国はギリシャ最大の港、ピレウス港に六億ユーロ（約七二〇億円）を投資しています。とにかくもうなりふり構わずに一帯一路圏を広げています。ほんとうは地中海の出口、ジブラルタルまで行きたい。

西村　イベリア半島、スペインの南側。イギリス領ですよね。

福山　抜き差しならないイギリスとアメリカの牙城ですから。中国はジブラルタルには手を伸ばせないので、終着点はイタリアとしたようです。それでアルプス山脈を越えてドイツでもどこでも行けるということだと思います。

西村　そんななかコンテ首相がチャイナに尻尾を振ってきた。

福山　もう飛びついてくれる人がいたから、しめしめということですよ。それでものすごい量のカネと人がイタリアに入っていったわけです。EUやアメリカにとっては大変苦々しいことです。とはいえ、ファーウェイの動きなどを見ても、ヨーロッパはもうかなり中国に取り込まれている印象です。イギリスさえもファーウェイに「ノー」と言わなかったですから。

西村　イギリスは、今回の武漢ウイルス禍の責任はチャイナにあるとして、ファーウェイの5Gネットワーク参入は見直す決断をしました。

福山　トランプ大統領からすると、イギリスがファイヴ・アイズ――アメリカ、イギリス、カナダ、オーストラリア、ニュージーランド五ヶ国による諜報に関する協定。UKUSA協定――にようやく帰ってきたという感じでしょうね。ファイヴ・アイズがエシュロンで盗聴したり、監視したりする世界的なネットワークは、中国という仮想敵国の情報機器が入ってくると、秘密の保

イタリアの教会に並ぶ棺（ABACA PRESS／時事通信フォト）

持が成り立たなくなるから。ファーウェイを締め出すことができればようやく秘密が保持できるというような形になったわけです。

一方中国からすると、イタリアというところにその拠点が築けたのです。

海兵隊が上陸すると、まず絶対の基盤をつくります。「橋頭堡（きょうとうほ）」と称されています。中国にとってヨーロッパ制覇の橋頭保がイタリアというわけです。

西村　だから武漢ウイルス禍に紛れてロシア軍がイタリアに入ったということですか？　ロシア軍が入ったというのはすごい話ですよね？

福山　ある意味においては、ロシアにとってこれは中国との綿密なコラボレーションというか、一種の共同作戦ですね。

西村　地政学的に見て、イタリアはチャイナにとってヨーロッパのなかでも重要な位置にあるのでしょうか？

福山　中国から見て、彼らがヨーロッパに行くとすれば、陸路のシルクロード（一帯）か、海路でインド洋からスエズ運河経由（一路）で到達するしかないわけですから、それでいけば海路の要衝はもう地中海沿岸しかないということになると思います。

例えばフランスのマルセイユとかをマクロン大統領がオープンにしてくれれば、マッチ・ベターですが、それは望めなかった。それから陸路のシルクロードとコラボができるのは、ボスポラスの海峡を抜けた先のトルコやウクライナですね。ウクライナから東ヨーロッパへと抜けるルートも重要になります。陸路（一帯）と海路（一路）は、できれば、リンクしたいわけです。

例えばミャンマー西部のチャウピューという港です。中国がかなりの投資をしていますが、ここから昆明までのパイプラインが通っています。このパイプラインを利用することで、中国のタンカーは欧米の影響の強いマラッカ海峡を通る必要がなくなっています。これは陸路と海路のリンクの典型例です。

西村　いわゆる援蔣ルートと同じところですね。

福山　はい、だから海路と陸路はできればどこかでリンクしたいわけです。ギリシャとかトルコ、ウクライナを押さえればヨーロッパまで、海路と陸路のリンクが可能になります。そこをつなげてしまえば、一方が詰まったときも対処できるわけです。さらにヨーロッパ内のネットワークを一帯一路でクモの巣のように広げていけると思います。中国は陸路と海路をリンクさせながらきっとそういう展開を目指しているのではないでしょうか。それだからイタリアを押さえれば、そこで終わりじゃなくて、イタリアをひとつの拠点として、次から次に、例えばスイスからフランス、イギリスへとネットワークを広げていく。しっかりと計画的に拠点をつくってネットワークを展開することは、単発で無秩序にいろいろなところに拠点をつくっていくよりも効果的です。

情報戦もしっかり展開していた中国

西村　驚いたのは、中国共産党のイタリアでの広報作戦、世論戦がすごいのです。ユーチューブ・チャンネルで、CGTVというのがあって、CCTV（中国中央電視台〔日本名：中国中央テレビ〕）、中華人民共和国国営放送のテレビ局）系なのですが、イタリアが武漢ウイルスでいちばん苦しんでいるころ、中国人が励ましのメッセージとか、動画をたくさんそこにアップしているのです。イタリアに向けて「頑張れ！」とかエールを送っている動画を配信しています。

福山　それでイタリアを抱き込んでしまうということですね。中国のしたたかさというのは、やはりそのような「宣伝思想工作」のやり方に表れています。例えば香港の返還後ですが、まず中国がやったのは、香港のメディアの買収です。メディアも営利を追求しないと成立しませんから、スポンサーになるということを絡めて、どんどんどん中国共産党シンパを増やしていきました。挙げ句の果ては、もう香港の主要メディアは中国の国営放送、国営新聞のようにしてしまいました。例えばいま、中国が一生懸命にプロパガンダを展開しているのは、フィジー、サモア、トンガなどのポリネシアの国々です。オーストラリアの公共放送ＡＢＣが「ネットの時代に時代遅れだ」として太平洋諸島向けの短波放送を中止したところ、中国が素早く空いた一〇の周波数に滑り込み、短波放送を開始しました。このように、中国の世界にまたがる「宣伝思想工作」攻勢を見ると、中国の世界覇権の野望を窺い知るような気がします。

西村　親日国家のパラオでさえＣＣＴＶが放送されるようになっていますから。

それで天皇皇后両陛下——今上上皇上皇后両陛下——のパラオご訪問の直前、パラオの海底に沈んでいる旧日本海軍給油艦の船尾に五星紅旗が差さっていたのが発見されました。その映像は報道もされています。中国共産党はそういう工作までやっているわけです。

福山　戦後、アメリカはパックス・アメリカーナを維持するために、情報戦の一環でＶＯＡ（Voice of America）という国営のラジオ局を各国で展開しています。オバマ政権時代、ＶＯＡが年間八〇〇万ドルの経費節減のために、二〇一一年一〇月から中国語のニュース放送を停止しました。米国の凋落が象徴される出来事だと思いました。そして皮肉なことに、中国政府は七〇億ドルを投じる世界的な宣伝戦略の一環として、二〇一二年にニューヨークのタイムズ・スクエアにCCTVが運営する英語ニュースチャンネル、CGTN Americaを設置し、二四時間放送を始めました。

この例に見られるように、アメリカについては各種メディアなどによる情報戦・宣伝能力の勢いを失いかけていますが、一方の中国は香港における事実上のメディア買収のように計画的・積極的に世界規模で情報戦（宣伝）能力を強化しつつあると思います。

いま、新型コロナウイルスの「出自」を巡りアメリカと中国が激しく論争し、情報戦を繰り広げています。「出自」を巡る情報・宣伝戦で、アメリカは中国を侮れないと思います。

西村　その一環で、アメリカ国内の多くの大学に孔子学院——各国の大学にある中国との友好関係を促進する中国国営の機関。その実は中国共産党のプロパガンダ機関とされ、とくに欧米で問題視されている——があったわけです。

福山　もう大統領選からは撤退しましたが、民主党のサンダース候補を支援する若者は、その影響もあるのではないかと思います。

西村　そうです。孔子学院はヨーロッパでも中国共産党の真の目的が見えたからか、閉鎖も続いています。つい先日、中立的なスウェーデンでも大学内の孔子学院は閉鎖されました。そんな工作員養成学校とまでいわれている機関が日本の大学に数多くあるのは恐ろしいことですよ。

福山　だからイタリアで情報戦を展開しているのも国連への工作と同じように、とにかく中国はメディア、情報を制圧することにものすごく長けています。

西村　日本だって、いま、メディアも政界もそうですから。台湾も。

ヨーロッパは勿論、アフリカにも触手を伸ばす中国

福山　イタリアのことに関していうと、ギリシャもそうですが、EUに加盟したら結局ドイツに〝おいしいところ〟を持っていかれただけで、南ヨーロッパの国はみな貧しくなっているわけじゃないですか。本来的な自国の通貨よりも高いだろうユーロを使わざるを得なくて、貿易では赤字を重ねてしまい、大変な状況です。それで疲弊したところに、中国がチャイナ・マネーで「カネだったら工面しますよ」と言ってきたのですから。

西村　ギリシャもイタリアもチャイナの甘い汁に導かれて、EUの自壊を促すようなことをやっているわけです。そしてロシアはその面に関しては、チャイナとかなり協調できるわけです。

福山　そうですね。ＮＡＴＯを押し戻すという意味においては。

西村　ＮＡＴＯを解体に持っていくという。

福山　ＮＡＴＯにおけるアメリカの拠点がイギリスです。そしてアメリカからイギリスを同心円の中心にして、アングロサクソンがロシアを徹底的に押して、バルト三国より北東まで追いやったわけです。ところがここで大きなチャンスがプーチンに巡ってきました。イギリスがＥＵを自ら離脱したのです。そうなると、アメリカのヨーロッパへの影響力が非常に弱くなる。そこにいま、おっしゃったような中国とのコラボレーションで、どんどん南西に降りることを画策しています。もうウクライナどころじゃない。ヨーロッパはもう我々のテリトリーだと。そういう武漢ウイルス禍に合わせて、巨大な陣取り合戦が繰り広げられているという観測もできます。

確かにハラリが『日経新聞』に書いているように、いままではコロナに対して各国が単独の戦いをやらざるを得なかった。アメリカでさえ単独の戦いをやらざるを得ないのですが、中国は武漢ウイルス禍をうまく利用すれば、いまのヨーロッパのような陣取り合戦においては、ロシアと連合作戦ができます。

たぶんその延長線上にはアフリカがあると思います。中国はいまもアフリカに相当な地盤を持っていますが、それ以上に、要するにアメリカに先取りするような形で、武漢ウイルス禍を上手に利用して布石を打とうとしているのではないかと思います。

西村　エチオピアはまさにその通りで。その象徴がテドロスWHO事務局長です。

福山　ああ、そうですね。

西村　さらにいうと、ジブチの中国海軍の基地、じつはものすごく大きいのです。すごい面積で、アメリカやイギリスのジブチ基地より大きいです。ちなみに我が自衛隊の基地はほんとうに小さいです。それに乗じてチャイナはジブチからエチオピアへの海路、要するにアフリカの東海岸の海路を大事なルートにしようとしているのです。そういうことを考えると、ヨーロッパにおいてチャイナの重ねてきた布石は、ものすごく彼らの覇権奪取に嵌まってきます。

福山　アフリカの角と称される、ジブチのあるソマリ半島は、スエズ運河から紅海のインド洋方面への出入り口である、バーブル・マンデブ海峡を有する戦略的にも地政学的にも重要な位置にあります。そしてここにはアンチ・アメリカの勢力がいます。それには全部、中国が噛んでいるのです。中国は現地のイスラムの宗派など関係ないのですが、要するにアンチ・アメリカという点においては、もうどんな勢力とも連合できるわけです。今度の武漢ウイルス禍はひとつの奇貨として、しっかり支援して現地の人々の心を取り込むでしょう。あるいは中国人を、どんどん「支援しますよ」ということで入れていくかもしれません。人民解放軍の将校などが姿を変えた形で入るかもしれません。今回の武漢ウイルス禍を奇貨として中国はアフリカの角を盤石にできることになる……。

西村　さらにアフリカの角の北西の先にはイスラエルがあり、この国もどう動くかわからない。簡単にアメリカと組むとは言いきれない、複雑なものがあります。

福山　注目される国のひとつにアフガニスタンがあります。アフガンは、陸のシルクロード（一帯）を押さえる要衝です。中国の悩みのタネのひとつ、ウイグルも近いです。中国にとっては非常に大事なところでしょう。そんなアフガンからアメリカ軍が撤退しようとしているわけです。そうすると黙っていても、中国の手が伸びます。もしそうなると、注目すべきは、本来的には中央アジアでは中国とは相容れないはずのロシアがどう出るかです。

西村　ロシアといえば、最近感染者数が増えているのは、韓国から検査キットが入ってきたかららしいです。

福山　でも韓国の検査キットは間違いばかりだという話ですよ。

西村　スペインは中国の検査キットが使いものにならないということで、購入した検査キットおよそ六万個を返品したとＮＨＫが報道していました。

中国の布石は効果的なのか？

福山　これまでの話を統括すると、我々の知らない間に中国がとんでもないことを着々とやってきたわけです。

西村　それが今回の武漢ウイルス禍で見えたわけです。

福山　炙り出されたのです。この中国の世界征服計画は、今回のコロナ騒動でどうなると思われますか？　挫かれるのでしょうか？　逆に利用して、さらに進めようと中国共産党は思っているような気もします。

西村　これは挫かないとダメですよ。問題は挫くことができるかどうかです。

福山　軍事的戦いは力比べです。ところがいま、アメリカが感染の嵐の真っ只中です。相対的に中国の目減りが少なく、アメリカが大幅に目減りをすれば、中国が勢いづく可能性は高いです。

西村　我々はただ楽観的になるのではなく、あるいは「こうありたい」と思って状況を見るより、厳しくリアルに見ていかないといけません。

福山　現実を厳しく見ていかないといけないです。いま中国にとっては、原油価格が下がっているだけでウハウハです。それに乗じてものすごい戦略備蓄をして。

西村　もうチャイナにとっては、万々歳の状況になってしまうではないですか。

福山　だからそこで「歴史」というものが、どういう面白い展開をするかです。

要するに民意による自浄作用というか……共産党独裁政権というナチスのホロコーストみたいなこともやっているような連中が、世界の天下を取るということが許されるのか？

西村　恐らくいま、福山さんがおっしゃったような考えがヨーロッパ人の意識のかなり底流の部分では、芽生えていると思うのです。チャイナの悪巧みに気づいたのです。そういうことを報道していないのは日本のメディアだけです。「チャイナ何するものゾ！　冗談じゃない！」とヨーロッパの人たちはみんな、怒っているのではないかという気がします。

未だに「宗教はアヘン」な国が自国民を世界中に送り込んでしていること

福山　痩せても枯れてもヨーロッパというのはキリスト教国です。イタリアのカトリックであれ、ドイツのようなプロテスタントであれです。宗教心が衰えたとはいえ、宗教を全面的に否定する唯物論の漢人がドヤドヤドヤドヤやって来て経済を牛耳り始めている。ヨーロッパの人たちがそれに違和感を覚えないのが、私は不思議だと思っていたのです。

西村　だからイタリアでは、四、五年前から中国排斥運動が起きていたのです。

福山　中国人が四〇万人もいますからね。

西村　イタリア北部のアパレル工場で働いている人はその多くが中国人で、ミラノでは二番目に多いファミリーネームが中国系の「Hu（胡）」だそうです。その北部にあるロンバルディア州で感染爆発が起きたのですが、その理由は言わずもがなですね。

福山　そういうせめぎ合いを見ると、人口というのは一種の武器ですね。人間の多さというのは。一四億人もいるのですから、どんどん捌け口を見つけて、入れるところならどこへでも行かせる。アフリカなんか、場合によっては、中国人の黄色人種の国ができるかもしれません。

西村　それぐらい考えているのではないですか。

福山　考えているでしょうね。ハーバード大学に留学したとき、こんなことを思いました。「赤い靴」という童謡があります。アメリカの富裕層、あるいはアジア人に対して非常に愛着を持つ人たちは、ものすごくたくさんの貧しい子供たちを養子として中国から受け入れます。その子たちが自然にアメリカ社会に溶け込めばいいのですが、中国共産党のいろいろな出先機関がそういう人たちを束ねて、将来、中国人ということでいろいろな工作をやらせている。これはある意味アメリカ人の〝善意〟を踏みにじっています。許しがたい話です。

西村　その通りです。去年（二〇一九年）から一昨年――この二、三年――の動きで、最も「危険だな」と思ったのは、中国人留学生たちの欧米での動きです。とくにカナダがすごいようで、インドから移住した家族の、非常に優秀な女の子——チベット人ですけど——が、トロント大学の自治会の会長に立候補して、当選しました。ところがものすごい排斥運動が起きました。運動したのはすべて中国人留学生です。誹謗中傷（ひぼうちゅうしょう）から始まって、本人への脅迫。チャイナ本国からやるのではなく、カナダに留学している中国人がやる。カナダでは強く問題視され、大きな事件となり、警察も関与しました。それで排斥運動は一応、下火になりました。その動きが出たときに「あ！　これはすごい。恐ろしい」と思いましたよ。中国共産党の指導なしで自然発火的にこういう排斥運動が起きるわけですから。おまけに彼らには「国防動員法」があるではないですか。

福山　簡単に言えば、有事の際、金融機関や交通手段・輸送手段、港湾施設、インターネットを含めたメディア、医療機関、郵便・通信、建設、貿易、食糧などの民間資源をすべて中国政府の管理下に置くことができるというものですね。全世界の中国人は有事の際、すべて中国政府のいう通りに動かねばなりません。

西村　しかも人間だけでなく、車両や船舶もすべて、民間のものでも対象になるわけです。そういう法律のある国の人間ですから、自由に情報を得られる場所で自由を謳歌（おうか）していても、有事には中国共産党に忠実な行動を取るのです。

西側に留学していて、チベットがいかにひどい侵略を受けたのかということを知ってしまえば、普通は中国共産党の所業が理解できるはずなのに、どうしたことか中国共産党の教条主義的なプロパガンダと同じことをいって、チベットを批判する。トロント大学の自治会長に立候補する前、彼女はチベットの旗を掲げて独立運動もやっていました。だから一層のこと標的にされたという感じがあります。こんな前時代的なことが、しかもカナダのトロントという場所で起きた。ちょっとビックリしました。そういうこともあまり日本では報道されません。

福山　それは当然の動きであって、中国の海外に出ている連中とかは、全部、国家の紐(ひも)付きですから。中国大使館があり、そこでは恐らく重要なキーマンが彼らの動向をすべて把握し、報告をさせ、一糸乱れぬ動きをさせているのでしょう。例えばアメリカに行った留学生には「○○の情報を盗みなさい」「○○の技術を盗みなさい」とわりと具体的な指示をしているのでしょう。この断片的な情報をジグソーパズルのように組み合わせて、アメリカの知的財産を盗むのです。

私がハーバード留学中に痛感したのは、例えばエスニックのフェスティバルをやります。そうすると、日本人はもう寄せ集めのような、テキトーな、二日、三日で取ってつけたような出し物をやります。ところが中国人のやることはもの凄かった。組織立って整然としている。要するに「これはもう半端じゃない」と。

西村　大学のなかでもそうだったのですか？

福山　大学のなかでもです。このことは、中国人がいかに中国共産党からコントロールされているかを象徴していると思います。学生の端々までしっかり動かしているというのがよくわかりました。恐らくいま、世界中に展開する中国人が中国共産党の指示とサポートを受けて、国連機関を乗っ取る、先端企業や大学の技術や情報を盗む……ありとあらゆる部門で中国の世界乗っ取り計画に加担しています。これは要するに一党独裁だからなし得る業なのか、中華思想が根っこにあるのか、よくわかりませんが、とにかく、はっきりしているのは、中国共産党はシコシコと世界乗っ取り計画を遂行している。そう思うのです。

西村　オーストラリアもやっと去年、気付きました。中国のスパイを告発したのです。でも気づいたとき、すでに地方自治体レベルでは、中国人を受け入れすぎ、頼りすぎていて、彼らを追い出すと今度は地元の人たちが経済的に困窮する。だから即時に追放できないというケースが起きています。経済のことを考えると、中国からの観光客や移民が欠かせないという現実が、残念ながら強くあります。そうなるまで、中国共産党は着々と積み上げるべきを積み上げ、受け入れる側はノホホンとして事の重大さに気付いていなかった。恐ろしいですよね。

中国に侵蝕される日本

福山　いや日本だって、安倍政権は相当やばい状況にあると思います。とくに北海道は中国抜きの経済は厳しいという現実があります。

西村　北海道に関しては安倍政権、不動産の購入をはじめ、経済的な侵蝕をすべて容認してきたわけですから。だから「総理大臣が何か脅されていたのでは？」と勘ぐってしまうくらいです。そうでなかったら、この三、四年の変貌はあり得ないと思います。

福山　確かに習近平を国賓で呼ぶなんてあり得ない話です。中国との間には尖閣諸島問題があり、日本人拘束問題、ウイグルの人権問題もあります。そんな国の元首を国賓招待なんておかしな話です。武漢ウイルスの問題が起きたため、止まったからよかったものの……。

西村　でも、なくなったわけじゃないですから。武漢ウイルス禍がなければ、四月に天皇陛下に会っていたわけですからね。ほんとうに冗談じゃないという話です。もし実現していたら、アメリカはほんとうに激怒したのではないでしょうか？　そんな深刻なことが平気で行われようとしていたのです。余程のことです。何か中国共産党にやられてしまっているとしか思えません。

福山　この武漢ウイルスが世界中で猛威を振るっているタイミングで、トヨタが天津に電気自動車の工場を展開するとして、約一三〇〇億円の投資をするという話です。「そんなことをこのタイミングでするか」という話です。だから官も民もすでに中国共産党に大きく取り込まれているのではと疑いたくなる次第です。

黄禍論再発?

福山 繰り返しになりますが、今回の武漢ウイルス禍で炙り出された構図は〝紅い手〟が世界の津々浦々まで伸びつつあるということですね。

西村 それこそウイルスですよ。

福山 武漢ウイルスじゃない、中国ウイルスですね。ほんとうにウイルスといわれても仕方ないくらい、世界に害毒のある触手を伸ばして、浸透しているわけです。

西村 でも、それが鮮明に見える形で、白日の下に曝されたわけじゃないですか。さてそれではそれに対して人類はどうするかという話です。

福山 このままずっと中国の侵蝕が続いていくと、二〇世紀初頭の、いわゆる黄禍論みたいな話が、欧米で出てくる可能性はあるのでしょうか?

西村 一部ではあるでしょうね。武漢ウイルス流行の最初期から、黄色人種というだけで、別にどこの人かもわからないのに、ニューヨークの地下鉄で「コロナ」と罵られて、殴られたとかいう話もありますし、フランスでも日本料理屋が外壁に「コロナウイルス、消え失せろ」と落書きされています。そういう事件がいろんなところで起きているわけですから、欧米では武漢ウイルス禍が収まったあと、「お前らが原因をつくったのだ」と排斥運動が起きると思います。

福山　とはいえ、そういう考えは、白人がそもそも心の奥底にずっと持ってきたものです。それが武漢ウイルス禍の〝有事〟にポッと出ただけの話ですね。

西村　そうですね。私がＦ１の取材をよくやっていた、一九八〇年代の終わりから一九九〇年代の最初のころは、日本人をすごいバカにしていました。「なんだ急に勝ちやがって」みたいな感じ。

福山　とくにホンダが出てきて。

西村　そう。ホンダなんかが勝ちやがってみたいなのはありました。もともとＦ１の世界は貴族の世界ですから、自分たちに有利なように「ルールを変えましょう」となったわけです。「ホンダが勝ちすぎるので、ターボエンジンは来シーズンから禁止にしましょう」と実際にレギュレーションが変わっただけでなく、フランス人のＦＩＡ（国際自動車連盟）会長が当時、世界一速かったブラジル人ドライバー、アイルトン・セナをいじめました。面白いのはターボエンジンが禁止になり、セナが日本ＧＰで失格処分を受け、タイトルの可能性を失ったシーズンから三〇年後の昨年（二〇一九年）に、ブラジル人でフランス育ちのルノーの会長が日産で不正を行なったとして解任されたことです。

やはり最後はカネなのか

福山　大航海時代以来、ヨーロッパ人がアジアに進出して植民地化し、それに危機感を抱いた日本が頭をもたげようとしたら、大東亜戦争で米英と戦争となり、本土を焼き尽くされ、挙げ句の果てには原爆まで落とされました。その延長線でいけば、今日（こんにち）にして初めてイエロー、アジア、中国というアンチ白人勢力（これまでの被抑圧グループ）が世界を席巻する可能性が出てきています。もし中国が〝悪魔の心〟を持っていなければ、アジアの盟主となって、白人世界に対抗してもらいたいところです。残念！

欧米で奴隷制度が廃止されたあと、「苦力（クーリー）」という名称で労働力として駆り出されたアジアの連中がいます。アメリカの大陸横断鉄道は彼らがつくっています。「チンクス」と呼ばれた「苦力」は主として中国人だったようですが、実質的には奴隷だったといってもいいでしょう。白人連中はきっと腹のなかでは「そんな連中が世界を牛耳ろうとしている。許しがたい」と思っていることでしょう。

中国台頭の根っこにあるのはカネの力ですよ。肌が黄色であろうと、ワインの飲み方を知らなかろうが、上品なマナーも知らなかろうが、世界はカネさえあればひれ伏すのです。ある意味、ユダヤ人がカネの持つ力をよく理解していたのと同じだと思います。旧約聖書の「出エジプト記」にもある通り、ユダヤ人は古来より排斥され続け、ゲットーに押し込まれ、挙げ句の果てにはホロコーストまで受けましたが、例えばロスチャイルドはカネの力で世界中の銀行を従えています。カネの力を身に染みて知っているユダヤ人と中国人が、どう折り合うかということも興味深いですね。いずれにせよ、たったひとつしかない地球が、そういうハゲタカ連中の権力闘争の場となるのです。未来永劫、愚かな人間の争いは続くと思います。共存しても端々まで幸せになることはなく、一部の人間がその他多くを家畜のように扱いながら。

そんななか、今回の武漢ウイルス禍で見えてきたのは、いまこそ世界秩序を変える好機だということでしょうか。先の大戦のとき、世界秩序が変わったじゃないか、だからいまこそ俺たちが出る番だと、中国をはじめとする覇権を狙う国家が、闘志剝(む)き出しで争っているんじゃないかという気がするのです。

日本はいま武漢ウイルスで〝守る〟ことだけにアップアップしていますが、習近平は勿論、トランプも闘争本能剝き出しです。私はそういうファイティング・スピリッツが、次なる世界覇権のカギじゃないかと思います。ファイティング・スピリッツのない国は衰えていくでしょう。

西村　そういう意味だと、いまの日本なんて衰退の一途ですね。やはり憲法第九条なんて去勢条項ですから。

福山　例えばアメリカのファイティング・スピリッツの所以（ゆえん）は何かというと、自由と民主主義と言われますが、根底にあるのはやはり「マニフェスト・デスティニー」――一八四〇～五〇年代のアメリカの領土拡大を正当化した語。「明白なる使命」「膨張の天命」などと訳される。アメリカの白人（ＷＡＳＰ）による領土拡大は、神が与えた使命であるとする――だと思います。「アメリカは違うんだ」「天命により世界を支配するんだ」というもの。対する中国のファイティング・スピリッツはどこから出てくるかというと……。

西村　やはり「中華思想」――中国が世界の文化・政治の中心であり、他国より優越しているという思想――ではないですか。それから中国共産党という、旨みを吸える共通組織を潰してはいけないという強烈な思想ですかね。いま、中国共産党のなかでは足の引っ張り合いをしていますが、共産党一党独裁については、権力中枢の近くにいる者は誰も異存ないわけです。たまに弁護士や学者や作家などが出てきて、共産党一党独裁に異議を唱えても、「拘束しろ」「殺してしまえ」となって、それで終わりです。まるで「悪貨は良貨を駆逐する」という俚諺（りげん）のように、中国共産党は〝良いもの〟を消去し続ける。非常に恐ろしいものではないかと思うのです。

福山　我々がすがることができる唯一のものは、もうトランプ大統領のアメリカしかないのではないでしょうか。そのアメリカから軍事力を支える経済力がなくなったら——現実にいま武漢ウイルスが猛威を振るっていてアメリカは危機的状況にあります——ほんとうに中国共産党のやりたい放題の世界になってしまうのでは？　何か救済方法はありますかね？

西村　トランプ政権の誕生は歴史的必然だったと思います。しかも共和党だけでなく民主党もチャイナに厳しい姿勢を取っている。武漢ウイルスで欧米は大きな被害を受けましたが、完全にパラダイムが変化しました。これから始まるわけです。

福山　かつては国務省の政策企画本部長ジョージ・ケナンが「X」と名乗って『フォーリン・アフェアーズ』誌に論文——「X論文」——を書いて、それが下敷きとなって、アメリカはスターリンのソ連という敵を封じ込めるきっかけをつくり、最終的には崩壊まで追い込みました。一方で中国とは抜き差しならないズブズブの経済関係、互いに軽視できない関係になってしまいました。加えて中国共産党の工作が功を奏してアメリカの政府中枢に複数のパンダ・ハガーがいて、簡単に手を切れなかった。そんななかトランプ大統領が登場して、中国と最も濃密な関係にある経済——中国のアキレス腱になり得る——という面で、経済戦争を仕掛け始めました。その途端に武漢ウイルスというわけのわからないものが出てきて、アメリカはいま、混乱の極みにあります。ただ武漢ウイルス禍のなかでも、中国が執念深く覇権を求める動きを重ねていることが見えてきた。それでアメリカは完全に目が覚めた。共産党独裁国家の中国に比べて効率の悪い政治制度といったら語弊がありますが、民主主義のルールである選挙によって選ばれる次の大統領、それがトランプであっても、バイデンであっても、誰であっても、必ず中国と対抗しようとするでしょう。そのときのアメリカの体力がどれくらいかということで、地球の運命は決まっていくと思います。

西村　ただ残念なことに、現状を踏まえると、その出口は中国が有利と思えてくるのです。さて、これは困った世界になるなと。『朝日新聞』も『毎日新聞』もこれまで中国寄りの言論を展開していたけれど、中国が覇権を握るとあなたたちの言論の自由はなくなりますよと言いたい。ソ連崩壊で共産主義は衰退したように見えましたが、中国共産党はそれを上手にコーティングして、世界をごまかしました。先ほども申し上げましたが、フランシス・フクヤマが唱えた、自由主義陣営が東西冷戦において最終的な勝利を収めたことで、社会制度の発展は終わり、人類発展としての歴史は「終わる」。民主主義は人類の最終着地点で、それ以降はないから、もう安心しなさいという考えは間違っていたと言わざるを得ません。

福山　そうですね。楽観視しすぎたのです。

西村　だから〝歴史の終わり〟ではなく、〝歴史の始まり〟なのだということを宣言しないとダメだと思うのです。フランシス・フクヤマが言ったのは冷戦終結ということで、歴史が終わったというのは間違いだった。ほんとうはこれから歴史を始めないといけないのです。

そのひとつの手掛かりとして、中国のなかに——先にカナダの留学生の話をしましたが——そうじゃない部分、つまり中国共産党の体制に疑問を抱いている人たちも当然、いるわけです。例えば今年（二〇二〇年）二月、ある中国のジャーナリストがツイッターに「（武漢ウイルスについては）世界に謝罪しなければいけない」と書いたのです。それは当局によってすぐ消去されましたけど、そのことに批判が殺到したのです。そういう人たちと我々はいかに連携を取るか、それがポイントになるのだと思います。

スティーブ・バノンが今年二月、あるインタビューで言っていたことですが、北京のファイア・ウォールをとにかく壊さねばならない。壊すことによって、中国国内で現体制に疑問を持つ人たちと連携することが可能になると。北京のファイア・ウォールというものは、かねてから私が言っている〝見えない東京の壁〟——日本国内にある、東アジア冷戦による情報空間の分断——とつながっていると思うのです。つまり言語空間を完全に分けている壁なのです。

壁を突き崩せれば中国国内の同調者たちと連携できるし、日本国内の分断も克服できるはずです。旧サヨクメディアの崩壊にもなる。そう考えると、ポスト・コロナは現状を客観的に分析すればチャイナ有利かもしれませんが、逆転できる道というのは、まだまだあると思います。

福山 逆転とかいうよりも、それはフリーダムとか人類の求めてやまない価値観に関わる話ですから。アメリカの大統領が、あれだけ広大な土地の三億人を統治するのはじつは大変難しいことです。中国の共産党一党独裁という、人間を人間とも思わないがんじがらめに統制する独裁の政治システムをもってしても、あの広い国土で一四億人の人民を統治するのは不可能に近い難しさがあります。そんな中国が仮に地球全体七〇億人を平定したとしても、それが永続するということは、絶対にあり得ません。そこには何らかの逆のモメンタム（勢い）が、必ず生まれてきます。いま、どういう逆のモメンタムが出てくるかは予言できませんが、必ずそういうものが出てくることは、私は間違いないと思います。したがって、中国が世界を支配するという構図は絶対に出来ません。

ヘラクレイトスは「万物は流転する」と言いましたが、地球が恒常的にある体制やイデオロギーで凝り固まって、これしかないとなることはないと思います。仮にそれが民主主義体制であっても。フランシス・フクヤマが言ったような「最終」ではない。とくに経済に関しては、各国がいま、とにかく、経済対策で負債を抱えながらも、カネを投入しています。こんな規模の経済対策は歴史上なかったでしょうから、どういう着地点を迎えるかは誰にも見えません。

西村　そういう意味では、いまの現象は一九三〇年代の世界大恐慌のときと似ていますね。

いずれ中国は瓦解する

西村　新しいヘゲモニー争いは人類が存続するかぎり、ずっと続くのでしょうね。エンドレス。カミュの『シーシュポスの神話』――シーシュポスは神を欺いたことで大きな岩を山頂に運ぶという罰を受けた。岩を山頂に運び終えたその瞬間に岩は転がり落ちてしまい、また最初からやり直さねばならない――です。いま日本ではカミュの『ペスト』が売れているようですが。

福山　楽観論としては、前述のように中国が全世界を支配することは絶対にあり得ない。というのも歴史上証明されているのですが、帝国は膨張すればするほど自壊作用が出てきます。ローマ帝国にしても、モンゴル帝国にしてもそうです。ポール・ケネディが『大国の興亡』（草思社刊鈴木主税訳）で述べている通りなのです。

しかも習近平もあと何年生きるかわかりませんが、命には終わりがあり、独裁者は替わっていくわけです。だから仮に中国が覇権国家になったとしても、それに対抗するモメンタムは出てくるでしょう。世界としても、覇権国家中国に対抗する何らかのコアリション（同盟）が、出てくる気がします。それが具体的にどういうものかはまだわかりませんが。

西村　現下の中華人民共和国という統治機構が分かれるような形になれば、中国が覇権国家になることを防ぐ、もしくは覇権国家になったとしても、長持ちしないと思います。

福山　地政学者のジョージ・フリードマンが『１００年予測』（櫻井祐子訳　ハヤカワ・ノンフィクション文庫）という本を書いています。そのなかで彼は中国が抱えている矛盾について触れていて、それに対する不満を抑えるには外に出るしかないと書いています。そして対外進出は徐々にしぼんでいき、やがて中国自体が瓦解すると。その結果、西村さんのおっしゃるように、四つか五つの地政学的な団子に分裂していくということです。

さらにフリードマンがこの本のなかで言っているのは、こういうことです。例えば第二次世界大戦で、日本は原爆を二発落とされるなど、焦土と化したけれど、戦後こんなに復興すると、誰が思ったか。アメリカもともと一三州から立ち上がったのだけれど、それが世界にパックス・アメリカーナを広げると、誰が予想しただろうか。そういう話からわかるように、世界は常に流転していて、人間の知恵では「あり得ない、起こり得ないこと」が比較的短時間――フリードマンは約二〇年としている――に実現するのです。

西村　三〇年前を思い返すとベルリンの壁です。一ヶ月前に壁が崩れるなんて、夢にも思っていなかったです。それがあっという間に崩れましたから。加えてソ連がそのあと、たった二年で解体しました。ソ連の崩壊は少し想像できましたが、でも、たった二年でとは思わなかった。

それを考えると、スティーブ・バノンの言うファイア・ウォールが崩れたら、意外と速く中国共産党が解体して中華人民共和国が分化するかもしれません。現実にいま、満州国独立運動があり上海、そのほかの地域でも同様の動きがあります。そして、もともと別国家だったチベット、ウイグル、南モンゴルと、七つに分かれる可能性があります。

福山　ワイマール体制下で疲弊したドイツでヒトラーが政権を取って、世界大戦を始めるなんて、誰が想像したでしょうか？　そのように、我々人間は未来予測が苦手なのです。これまでの経験からしか予測なんてできませんから。

中国共産党が解体すれば、中国とも組める？

福山　トランプがアメリカ大統領になって、議会も共和党よりもむしろ民主党が中国に厳しいスタンスを取り始めて、米中経済戦争が起きて……まさにこのタイミングで武漢ウイルスが発生したということが、すごく啓示的だと思います。

西村　ほんとうに歴史の流れです。

イギリスで去年（二〇一九年）、まだ若手の評論家であるダグラス・マレーが書いた『西洋の自死』という本がベストセラーになっています。この本は要するに、価値観の多様化と移民の大量流入によってEUが解体に向かうこと、それと同時に、国境のない世界が来るとか、〈ポリティカル・コレクトネス〉という基準が逆に差別やファシズム、全体主義を生んでしまうことを丹念に書いています。つまり、リベラリズムの嘘がすべて噴出するということなどが書かれているのです。そういう本がイギリスでもベストセラーになっているという現象も、すごく大きな〝流れ〟を示していると思うのです。誰かが司令して「流れをつくれ」とやっているわけでなく、自然にそうなっているわけです。

福山　人によっては、EUもドイツが経済でヨーロッパを統一した〝ドイツ帝国〟だという見方をするじゃないですか。それがたぶん今回の武漢ウイルス禍で崩壊し始めるでしょう。イタリアだったりギリシャだったり、経済的に追い詰められた加盟国が可視化したEUの自己矛盾が元になって。いずれにせよコロナが出る・出ないにかかわらず、地球秩序は再編される運命だった。

西村　そういう方向に行っていますから。

福山　アメリカのパックス・アメリカーナが世界秩序の基本だったのが、中国が挑戦してきて、これからどうなるのかというところに、さらなる揺さぶり（秩序崩壊作用）のエレメント（要素）として、武漢ウイルスが出てきた。それで世界全体が一瞬・一斉に、地盤沈下をする。つまり戦勝国なしで、全世界が敗戦国になる。勝者も、経済復興の牽引者がいない。

先の大戦では、戦火の及ばなかったアメリカと、強力な統制・強制力で計画経済を実行したソ連が世界の二大覇者になったわけです。今回の武漢ウイルス禍では、すべての国が敗戦国となり、その被害も甚大です。こんななかでは、「平行移動」的に武漢ウイルス以前の世界秩序、すなわち、米中二大超大国を中心にした世界秩序が回復されるというシナリオの可能性が高いと思います。

もうひとつは、米中いずれか、あるいは両国とも地盤沈下を起こして覇権国家の座を退くというシナリオです。中国の場合、最悪のケースとして共産党一党独裁が崩壊することも考えられます。アメリカも人種の力関係でモザイク状に分裂する可能性すらあります。今日の民主党と共和党の対立の激化を見れば、アメリカ分裂の可能性が理解できるでしょう。

米中が没落すれば、今日では予期もできない世界秩序の形成が時間をかけて起こるでしょう。場合によっては、また戦争があるかもしれません。

さらに今回の武漢ウイルス禍ではっきりしたのですが、今後はパンデミックや大水害などの自然災害が世界秩序や経済に大きく影響してくることでしょう。日本の場合は南海トラフ大地震もある、想像を絶する巨大台風もあるということになると、先の戦争の原爆よりも広く大きな被害が出るわけです。

西村　壊滅ですよね。

福山　これから起き得ることを考えると、人類は従来のパラダイムを大胆に転換して、国なり社会なりを再設計しないといけないと思います。今回の武漢ウイルス禍で、生命、物資、精心面に深刻なダメージを被った人類は、賢明にもその教訓を学び取り、経済、文化、哲学・思想など多くの面で、いろいろ新しいことを考えるでしょう。

とくに喫緊の課題として、武漢ウイルス禍以降は経済理論も新しい発想が必要です。世界大恐慌のあとにもケインズ経済理論が脚光を浴びたように。世界各国が事実上破産状態になるのですから。今回の武漢ウイルス禍が日本経済にどれほどのダメージをもたらすか、経済・財政問題に詳しい私の友人が以下のようにわかりやすく説明してくれました。

「私は職業柄、国家をどうしてもひとつの会社として考えてしまうのですが、日本政府を会社に見立てた場合、会社が売上高（日本政府の場合は一般会計税収六三兆円がそれにあたる）の一・七倍にあたる新規借入金（今回の緊急経済対策額一〇八兆円＝新規国債で調達）を起こすなど、会社ならば間違いなく経営破綻してしまうパターンです。ちなみに、健全な会社の新規借入金は売上高の一〇％が目途です。しかも、今年度の新規国債発行額（三二・五兆円）と合わせると、一四〇・五兆円となり、売上高（税収）の二・二倍強もの借入金（新規国債発行）を起こすことになってしまいます。また、緊急経済対策額の一〇八兆円という数字は、我が国の今年度国家予算＝一〇二兆円の一〇五・九％で、ＧＤＰ＝五四六兆円の九・八％です。

アメリカの緊急経済対策費は二二〇兆円で、額こそ我が国の二倍になりますが、アメリカの今年度国家予算＝四八五兆円の四五・四％で、ＧＤＰ＝二二六三兆円の九・七％に過ぎません。

以上のように、我が国の緊急経済対策＝一〇八兆円は、国際的に見ても、決して少ない数字ではないものと思われます。現在の外貨準備高（一四三兆円）と照らし合わせても、ギリギリの線ではないかと考えます。ですので、もし今後コロナ禍の第二波、第三波が襲来して、これ以上の追加経済対策を発動することになれば、日本という会社の経営破綻のリスクを心配せざるを得ません」

いずれにせよ、日本と世界の経済をどのようにリセットし、新たな繁栄を目指すか、日本と世界の叡智（えいち）が問われます。経済問題が解決されなければ、また、第二次世界大戦のような悲劇が起るでしょう。

西村　経済的には人類が初めて対峙する局面ですからね。ただ、私はこういうときこそ人類は再生すると思っています。二〇世紀の嘘、近代主義の嘘がここで完全に崩壊すればいいのです。成長経済優先もそうですが、少なくとも人類にとって巨大なガン細胞、ウイルスになった中国共産党を解体することによって、人類が再生する光が見えてきます。二一世紀の全体主義で、最後の国際共産主義の要塞になった中国共産党が崩壊すれば、冒頭にいったように二一世紀の〝ビッグブラザー〟は倒すことができる。

そこで日本が米英と連携しながらイニシアチブを取って、台湾、インドと強力に結びつき、第二次大戦後に虐げられていた民族が独立を回復できれば、それだけでアジアを起点として世界に新しい世界像を示せるわけです。

福山　まったく実験的な試行ですね。人類にはそういうエポック——大きな事件というか、変革期——があって、次なる扉が開かれるのですね。

西村　うまくいけば、ほんとうの世界協調が生まれるかもしれない。全世界が入って……。

福山　ただ、いまの中国共産党が存在しているかぎりはあり得ないでしょう。

西村　だから中国共産党解体が必至になります。バノンがいっていた北京のファイア・ウォールを壊すことで、チャイナの人民も救われ、北京の壁につながる〝見えない東京の壁〟も壊れれば、完全に第二次世界大戦後の世界秩序は一変します。

欧米に比べ圧倒的に死者、感染者の少ない日本

西村　日本も武漢ウイルス禍のお陰で、敗戦後七五年間で植え付けられた自国軽視という歪みが、音を立てて崩れる気がします。

私は、こういう日本人に来た衝撃は戦後三回目だと思うのです、一回目は小泉訪朝で北朝鮮が日本人拉致を認めたとき。あのときは、日韓ワールド・カップもあった年で一八年前の二〇〇二年だった。二回目は九年前の東日本大震災でした。興味深いことに九年ごとに〝敗戦国・日本〟の戦後体制を揺さぶる大変動が起きています。それで今回の武漢ウイルスが三回目です。九年ごとに現実が戦後の平和幻想をひとつずつ壊してきた。それが非常に大きくて、多くの日本人が無意識ながら変わってきています。

福山　二回目はちょうど九年前のいまごろです。震災が三月一一日にあって、原発の危機とかいっていたのが三月末ですから。東日本には居られなくなるかもしれないと言われていたのです。四月になると今度は経済的にものすごく厳しかった。停滞していた時期なので。だからいまはほ

んとうに九年前と似ている感じです。自粛、自粛で、すごかったですから。

西村　話は変わりますが、すごく不思議なのは、日本の国会議員はあんな「『三密』を避ける」のと正反対のことをやっていて、ひとりも感染者が出ていないことです。彼らは毎週金曜日に地元に帰って、地元でもう握手をしまくって、人に会いまくっているわけですよね。さすがに非常事態宣言が出てからは気をつけているのかもしれないですけど。でも、未だにひとりも感染者が出ていないのは不思議です。

福山　不思議ですね。おかしいですね。なんらかの特異なことがあるのでしょうか？　日本人の遺伝子とか？

西村　やっぱり日本人は罹らないのかな？　もし中国共産党が手加減していたら、面白いですね。習近平が秋に国賓として訪日できるように、日本人には蔓延しないようにウイルスに手を入れたみたいな。

福山　でもほんとうに不思議だと思います。国会議員は七〇〇人以上いるのにひとりの陽性もいまの段階ではいない。

西村　コロナというのは、ほんとうに不思議なことが多いですね。一方で我々はインフルエンザですら制圧できていないわけです。毎年、毎年、たくさんの人が罹って、少なくとも五〇〇〇人ずつは亡くなっているわけですから。

福山　ワクチンができるのが先か、全人口の七〇％が罹患して抗体ができるのが先か、結局はそういうことですから。

西村　ではなぜヨーロッパとアメリカがこんなにひどいことになってしまったのか？　すごく不思議です。

福山　ほんと不思議だと思います。

西村　アジアで蔓延したウイルスと欧米で蔓延したウイルスは違うものなんじゃないですか？

福山　もし生物兵器として製造したウイルスだとしたら、非常にほどよいスペックだと思います。不思議なことが多すぎます。

西村　スペックを分けているとしか考えられないですよ。

福山　だからヨーロッパやアメリカから入ってきているウイルス（中国発生のウイルスが変異？）は要注意で、感染力も高そうだし、実際、感染者が日本でも増えていますから。

西村　いや、ほんとうに油断できないです。怖いですよ。

福山　ここのところの急増ぶりが……そうかもしれないですね。中国が制圧したなんてたぶん嘘だと思いますけど、要は彼らが外国から入ってくるウイルスに対して、異常に警戒しているじゃないですか。

西村　外に出したウイルスが武漢のものよりも致死率が高い。それを知っているから、空港で乗客をみんな止めているのではないですか。

福山　今回のウイルスについては彼ら中国人がいちばん詳しいわけです。そういえば、ワクチンを開発したという、人民解放軍の女性少将がいます。

西村　でもワクチンの話、一回だけニュースにちょっと出たぐらいで、そのあと、全然報道されていません。たぶん中国共産党が「やばい」と気づいたのではないですか？　あまり開発したというと、世界から却って疑われてしまう、「お前らが開発したウイルスだから、そりゃ早いことワクチンも開発できるだろうよ」と。

福山　生物兵器というものは開発すると同時にワクチンも開発するから、ワクチン開発が途中まで進んでいたところでウイルスを世界中にばら撒いて、それからワクチンを完成させたのだろうみたいな話ですかね。

西村　ワクチンができたと発表しましたが、そのあと音沙汰がない。不思議です。さっき話をした携帯電話の料金未払いが一四四〇万台あるという話も、そのあと何の情報もないのです。ネットによると、武漢の病院ではスマホがあっちこっちに落ちていたらしいです。

福山　スマホをたくさん集めて焼いている映像がありましたね。

西村　日本のメディアは中国の発表することを、あたかも真実であるとの前提で報道しているけど、それでいいのでしょうかね。

福山　日本のメディア、私、おかしいと思いますよ。情報戦そのものの道具にされているとしか思えません。中国共産党のお先棒を担いで。

西村　アメリカやヨーロッパじゃ、基本的に中国の発表を信じていませんから。

福山　いや、いや、メディアがそんな体たらくでは日本はどうなるのでしょうかね。

第三章――アフター・ウイルス、どうなる世界の新秩序

〝第三次世界大戦〟で全世界が敗戦国になるのが必至な状況下、少しでも優位にコトを進めようと、米中は勿論、ロシア、ＥＵの主要国も情報戦に参戦している。各国が経済対策で資金投入を行っているが、人類史上最高額の資金は我々をどこに導くのか？　世界が激動で喘いでいるなか、相変わらず日本国憲法の〝お花畑〟で過ごしている日本は大丈夫なのか？　舌鋒鋭い二人の対談は我が国甦生への処方箋へと至る。

強制力のない「緊急事態宣言」

西村　先日（二〇二〇年四月一四日）、ＩＭＦ（国際通貨基金）がこんな見通しを示しました。武漢ウイルスのパンデミックにより、二〇二〇年の世界経済の成長率が「前年比三％減」となり、一九三〇年代の世界大恐慌以降で最悪の景気後退に直面すると。ＩＭＦがこの一〇〇年なかった危機だとはっきり言っているのです。

福山　世界大恐慌以来ですか。

西村　勿論大恐慌以来です。私がかねてから言っていたことと同じです。世界経済は大変なことになりますね。経済についてはのちほど議論しましょう。ところでここ数日（四月三日〜一六日）、七都府県に緊急事態宣言が出たり、それが全国に拡大されたり、感染者が急増したり、状況が目まぐるしく変わっています。そんななか、日本の〝半国家状態〟というべきことがあらわになりました。それを安全保障と絡めてお話ししたいです。

福山　〝半国家状態〟とは具体的には？

西村　はい、前から考え付いていた言葉ですが、まず、「緊急事態宣言」と銘打っていながら、あまりにもルーズ――他国と違って強制力がないことです。普通の国では統治責任者か国家元首が「緊急事態」、あるは「非常事態」を「宣言」すれば、程度の差はいろいろとあるでしょうが、「戒厳令」が出されたということを意味するはずです。つまり、常識的に外国人も含む一般国民が外出制限や外出禁止になるわけです。違反すれば当然処罰されます。

ところが日本の場合、強制力を持たせる緊急事態宣言を出すことができない。そういう法律がないからで、国家が国民に「緊急事態」を「宣言」する設定が抜け落ちている。日本はそんな国家です。さらに日本国憲法は軍隊がないことになっている奇妙な憲法なので、緊急事態にどう対処すべきかという条項もない。日本人をまともなひとりの大人として扱うことができないのです。

そんなこともあり、国が緊急事態宣言を出したのに、対象にならなかったいくつかの自治体が「自分のところにも出してくれ」とか、自分勝手に「独自に出す」とか言い出しました。テンデンバラバラの印象を国民に与え、こんな統制がとれない国が緊急事態に対処できるのか、と普通の国民は不安に思うわけです。

「緊急事態宣言」ですよ。国家の危機だと宣言しているのですよ。それなのに各知事のパフォーマンスの場としても機能しています。国家権力がないのです。そんな気がする。極端なことを言うと、未だに占領軍に占領されているのと同じです。我が国はじつは敗戦後に非常事態宣言を出したことが一度だけあります。敗戦後の七五年間で一度だけです。

それは昭和二三年（一九四八年）四月一四日のことで、日本がまだＧＨＱ（連合国軍最高司令官総司令部）に占領されているときに、ＧＨＱの司令で日本国憲法の下で出された非常事態宣言でした。大阪から神戸にかけた地域で発生した、いわゆる「阪神教育事件」と呼ばれる、在日韓国・朝鮮人と日本共産党による暴動・テロ事件に対処するためです。当時の日本には軍隊はないし、自衛隊もできていない。警察力だけでは対応できないと判断したＧＨＱが発令し、アメリカ軍が日本の警察と一緒に対処した、屈辱的でしたが何しろ占領中です。

しかし、それから七二年後に日本政府が発令した「緊急事態宣言」では何ら強制力のない、ただのお願いです。こんなバカなことはない。ＧＨＱの統治がなければ非常事態宣言が出せなかった、七二年前の「阪神教育事件」のときと同じではありませんか。四年後の昭和二七年に占領が解かれて日本は独立しましたが、ほんとうにそうなのか？　まだ占領されているのではないか？という疑念が拭えないのです。陸上自衛隊の将軍として命を懸けてきた福山さんにこんなことを言っても釈迦(しゃか)に説法でしょうが……（笑）。

ただ、今回ひとつだけ経済のことで言えば、評価されることがあります。今回の緊急事態宣言には経済対策という項目が入っています。総額一〇九兆円です。そのうち世界的に高く評価されているのが、サプライ・チェーンを見直すということをはっきり記しており、その経費として二

○○億円を計上していることです。要するに日本企業に対する、チャイナからの撤退資金です。

福山　中国から撤退しても、人件費の問題からすべてを国内に戻すのは現実的ではありませんよね？　例えばベトナムやミャンマー、バングラデシュとかですか？

西村　それは今後の検討課題ということになるでしょうが、サプライ・チェーンを見直してチャイナから撤退するということを、はっきりと打ち出したということが世界的に大きな反響を呼んでいます。「日本政府は企業に資金を提供することを発表した」とブルームバーグが配信したら、香港の『サウスチャイナ・モーニングポスト』がすぐに大きく取り上げました。その資金は要するに生産拠点の見直しをするためのものだとはっきり書いて。それがイギリスでもやはり報道されていて、高く評価されているのです。

ここで先に申し上げた〝半国家状態〟についてです。これはいつもの問題といえばいつもの問題なのですが、あの緊急事態宣言は安倍総理の言葉じゃないのです。わざとイメージダウンさせるような原稿が書かれているとしか思えません。例の「最低七割、極力八割、人との接触を減らしていただければ、必ず我々はこの事態を乗り越えることができる」という発言も非常に甘い。なぜ八割とだけ言えなかったのか。何かに遠慮しているのか、と思わせる言葉になってしまった。

緊急事態宣言の経済対策に関しては世界が高く評価しているのに……世界といっても西側です

けど。ただ問題なのは例によって日本のメディアがこのことにまったく触れていないのです。『産経新聞』ですら触れていない。緊急事態宣言として発表した内容に「二〇〇〇億円を撤退資金として投入する」と記されているにもかかわらずです。記者会見でそのことを強調していないこともあるのですが……。

私が言いたいのは、ここでいまこそ日本が占領下でない独立国家として「日本はこの武漢ウイルス禍においてはこうする！」と具体的な姿勢を明確に力強く提示すべきだということです。それができないのが歯がゆくて仕方ない。これは親中派も含めた有象無象の政界工作、経団連のビジネス優先の姿勢、そして相変わらず媚中派が牛耳っている政界、政権与党、マスコミ、そういったものがすべて安倍政権をがんじがらめにして動けなくさせている部分があると思います。

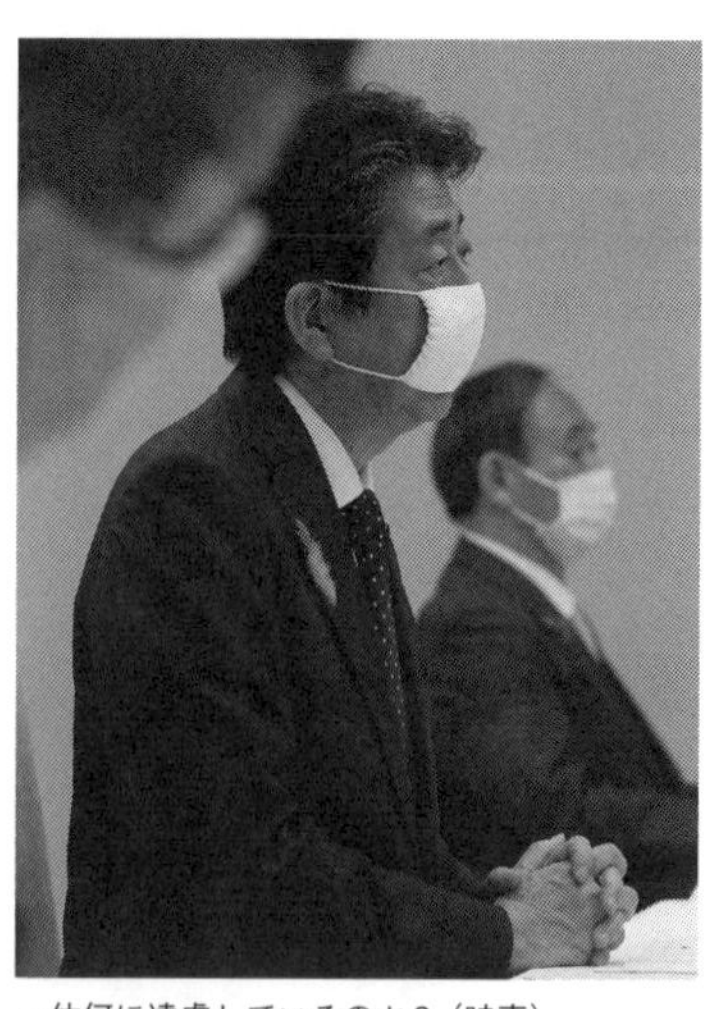
一体何に遠慮しているのか？（時事）

そもそも習近平の国賓来日もそういう側面を持っていますよね。国賓来日の件は、ほんとうに神風みたいなもので、武漢ウイルスで多くの被害が出ているので神風と言っては被害者に申し訳ありませんが、吹っ飛びました。でも、こういう現象が未だに現実に起きていることを意識しておく必要があるなと思いました。

牽制し合う世界

西村　二〇二〇年四月九日のニュースに、こんなものがありました。例によって日本では報道されていませんが、アラスカ上空でアメリカの最新鋭ステルス戦闘機、ラプター（F—22）とロシアのやはり最新鋭戦闘機スホーイが交錯したそうです。アラスカ上空ですよ。恐らくスホーイがアメリカの防空識別圏、あるいは領空に入ったのでしょう。それで、ラプターがスホーイをインターセプト、捕捉・追跡した。なぜこんなことが起きるかというと、いま、太平洋に配備されているアメリカ海軍の太平洋の空母が全滅しているからです。

福山　乗組員が武漢ウイルスにやられていますから。ミサイルや魚雷の攻撃を受けたわけでもないのですが、実質的にはそれとまったく同じ状態です。これが実際の戦争で撃沈されたのであれば甚大な損害ですね。太平洋艦隊は機能していないようなものです。セオドア・ルーズベルト、ロナルド・レーガン、それからニミッツとカール・ビンソン、いまのところ四隻ですね。全一一隻中四隻。同様の被害はほかの空母のみならず、潜水艦や水上艦艇などにもだんだん広がると思います。ただ、実際の戦争と違うのは、空母や潜水艦などのハードウェアはまったく無傷ですから、アメリカ軍兵士が武漢ウイルス感染から回復すれば、戦力は元に戻るわけです。従って、一～二ヶ月後には戦力は回復すると思います。ただ不安材料は、世界的に武漢ウイルスの感染が完全に収束するまでは、アメリカ軍をはじめ各国軍は常に感染のリスクを抱えることになります。アメリカ海軍が画期的な武漢ウイルスの防疫方法を見つけるかもしれませんね。

西村　しかもそのほとんどが、出港している空母です。加えて大西洋より太平洋のほうが多いと思える。だからいま、アメリカ海軍の機能が著しく低下させられています。それに先に、福山さんがおっしゃっていたように、山の中の指令室……。

福山　コロラド州コロラドスプリングス近郊にシャイアン・マウンテンという山があり、シャイアン・マウンテン空軍基地（Cheyenne Mountain Air Force Station）が置かれています。冷戦期にはＮＯＲＡＤ（北アメリカ航空宇宙防衛司令部）の地下司令部が所在していました。二〇〇六年以降は待機保管状態にあると聞いています。同司令部は潜水艦と同様に、すべて完全な密室状態です。もし、そのまま使われていて、ウイルスが蔓延（まんえん）したら、あっという間に広がって機能不全に陥ります。現在、同司令部はコロラド州コロラドスプリングスのピーターソン空軍基地に所在すると聞きますが、密室状態は変わらないのでは？　コロナのために、人類の運命を決める核戦争の司令部が機能不全に陥れば、誤って核戦争を始めるリスクもあります。

西村 アメリカ軍の司令官クラスの幹部は、全員がすでにその地下の秘密基地に入りました。

福山 私は、海上自衛隊の先輩（元海将）から「海軍艦艇の構造が新型ウイルス感染に弱い」という趣旨の次のような興味深い話を聞きました。

〈どの国の海軍艦艇も、新型ウイルスには弱い。その理由は、艦内の空気を循環させるからだ。海自の護衛艦もそうだが、各国の駆逐艦等がガスタービンエンジンを採用している背景には、艦内気圧を上げることにより「NBC兵器」――核（nuclear）、生物（biological）、化学（chemical）を用いた兵器――から防護する狙いがある。これは「東京ドーム」と同じやり方で、常に艦内から気圧の高い空気が外部に出ることにより外気が入ってこないようにするのが目的なのだが、それは新型ウイルスを艦内に撒き散らすことにもなる。もともと艦艇（潜水艦）は戦闘被害を局限するため、艦内を隔壁で細分化していることから、艦内全体が密閉空間化されている。こんなわけで、護衛艦は調理場からカレーライスの匂いが漂ってくる構造になっており、隊員たちは「あ、今日は金曜日か」と思う次第だ。

自分は、日本政府が、武漢ウイルスの集団感染が発生したクルーズ船「ダイヤモンド・プリンセス」を横浜港の埠頭に停泊した状態で感染対応することを決めた瞬間「これはダメだ」と思った。乗客も乗組員も陸上に降ろして隔離すべきだった。それは、同船の換気の構造が海自の護衛艦と同じだからだ。案の定、感染者が増え続けた。〉

西村　そういう点で世界のパワー・バランスがいま、非常に危うい状況になっていますよね？武漢ウイルスがいつまでどんな影響を与えるのかは、すごく気になります。世界最強を誇る軍隊なのに、意外なところが脆（もろ）いですね。

福山　脆いです。ここが細菌戦の最も効力を発揮する側面でもあります。

西村　もうひとつ大事なことは、アメリカは中国からの入国を制限する（二〇二〇年一月三一日）前の時点で、すでに四〇万の中国人を入国させていたことです。

福山　春節ですね。

西村　春節もビジネスも含めて四〇万人です。

習近平が武漢市をロック・ダウンしたのが一月二三日です。そして団体客の出国を禁止したのが一月二七日でした。しかしながらその前にアメリカには中国人が四〇万入国していました。勿論、日本にも中国人がいっぱい来ていました。北京の上層部は当然春節で膨大な数の人が動くことを知っています。それで確信犯的に、人を大量に出したあと、団体客の出国禁止をやった可能性もあるわけです。人民を兵器と見なしたという、そういう見立てもできるのですよ。さらなる

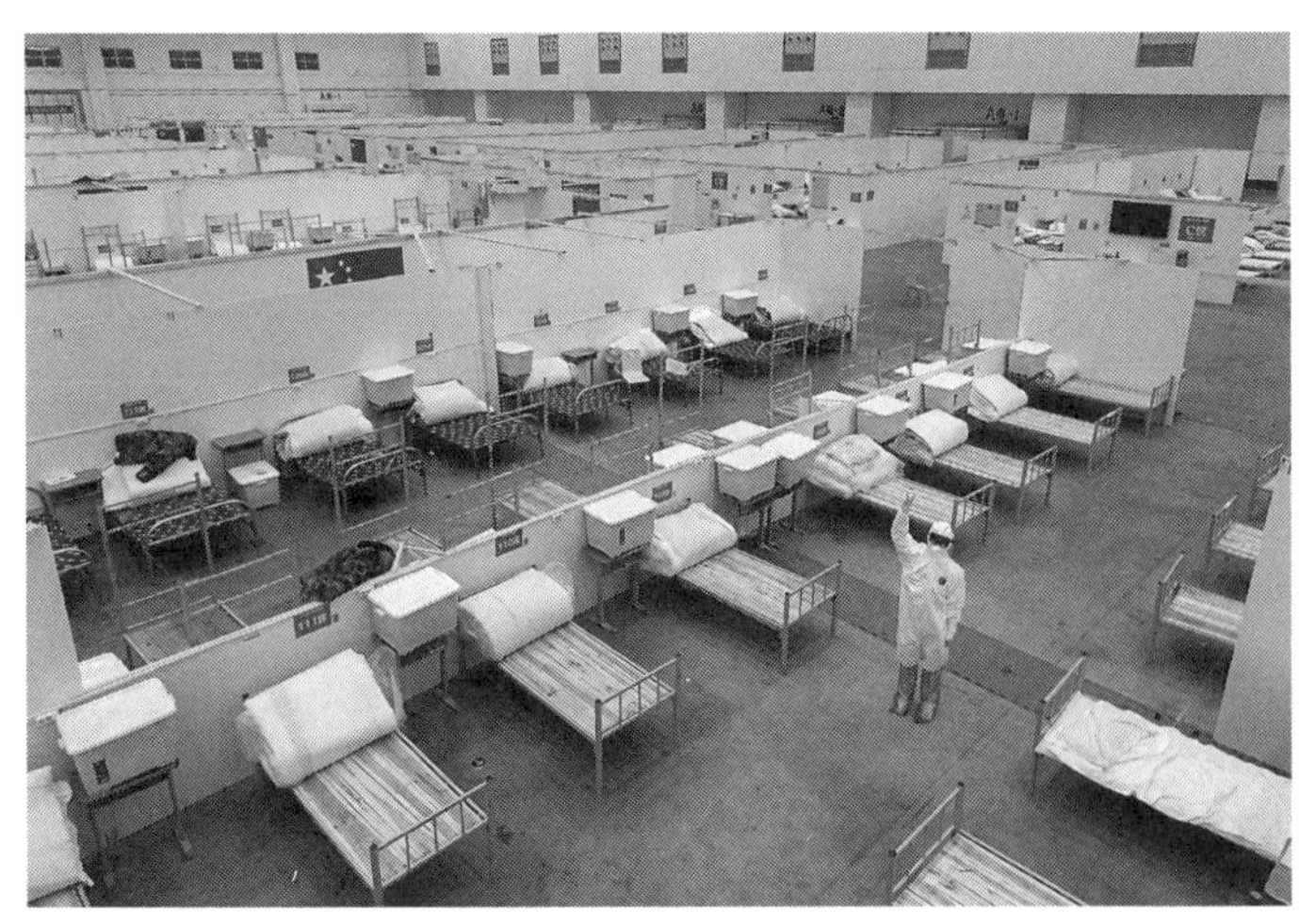

患者がすべて退院した武漢の“収容所”（Avalon／時事通信フォト）

裏付けといえそうなのが、武漢封鎖の宣言をしてから、実際に封鎖するまでに約六時間のタイムラグがあったことです。その間に六〇〇万人が武漢から脱出しているのです。

福山　ＪＢプレスに書きましたが、中国共産党指導部は武漢で新感染症が発生していることを一二月末くらいからすでに知っていた――習近平まで伝わっていたかはわかりませんが……。そのあとに春節が確実に来るわけですから、そこをどうするかは検討し尽くしたはずです。要するに国内は勿論(もちろん)、海外でも中国人の大移動が展開される。野放しにしたら、武漢ウイルスが蔓延することは見えているわけです。そのことにどう対処するかは、習近平にとってひとつの大きな決心のしどころだったわけです。

西村　先におっしゃったように彼らはリリースすることにしました。その背景には「武漢ウイルスで落ちていくのだったら、世界中を巻き込んでやる」という決心があったのではないかと、JBプレスに書かれていましたよね。

福山　要するに中国・習近平は確信犯だと思います。犯罪だということのひとつの論拠になり、これから裁かれると思います。

〝お花畑〟国家、日本をリフォームできるか

福山　安全保障のことをいえば、今回の武漢ウイルス禍で、日本国の態勢が〝お花畑〟であることが再度浮き彫りになりました。我々の国の根幹を担う日本国憲法は、かつてのワイマール憲法――一九一九年に制定されたドイツ国憲法。第一次世界大戦敗北で帝政が崩壊した後、ワイマールの国民議会で制定。国民主権、男女平等の普通選挙の承認に加え、所有権の義務性、生存権の保障などを規定し、近代の民主主義憲法の典型とされる――の流れを基本的に汲んでいます。

モルデカイ・モーゼというユダヤ人が書いた『日本人に謝りたい　あるユダヤ人の懺悔』（沢口企画刊　久保田政男訳）という本があります。

西村　あれはいい本です。

福山　そうですね。その趣旨はこうです。

〈第一次世界大戦に敗れて大混乱に陥ったドイツで、皇帝・ヴィルヘルム二世の退位後、ユダヤ人が自らの地位向上と民族解放を求めてつくったのがワイマール憲法（ドイツの弱体化が目的）だ。そのユダヤ人は敗戦の日本でもGHQに入り込み、日本国憲法をつくった。マッカーサーのGHQ民政局は、ニュー・ディール左派と呼ばれる社会主義的色合いの濃いグループが支配的であった。日本の戦後病理の根源となる日本国憲法はワイマール憲法の丸写しである。

憲法第九条の「戦争放棄」の意味は「武装解除」にほかならない。国家を転覆させる企ての最大の障害は軍隊と警察である。〉

アメリカのニュー・ディール左派（ユダヤ人）がつくった日本国憲法が、ワイマール憲法同様に「安全保障」に関する条文がすっぽりと抜け落ちているのと対照的に、本家のアメリカ合衆国憲法には、以下のようにてんこ盛りに書かれています。

第一条第八節（連邦議会の権限）

（11）戦争の宣言

（12）陸軍を徴募しこれを維持すること

（13）海軍を具備しこれを維持すること

（14）陸海軍の統括と規律に関する規則を定めること

（16）民兵の編成、武装及び規律、ならびに合衆国の軍務に服する民兵の一部についての統括についての規定を設けること（以下略）

第二条第二節（大統領の権限）

大統領は合衆国の陸海軍と、合衆国の軍務に服する為に召集された各州の民兵の最高司令官となる（以下略）

アメリカ軍に比べ、自衛隊については、憲法に明確な規定がないばかりか、字面通り読めば「違憲」とさえ解されます。人間にとって「背骨の歪み（ゆが）が万病の元になる」ように、自衛隊の憲法上の「歪み」は、自衛隊の「万病の元」であり、アメリカ軍同様、明確な憲法規定がなんとしても必要です。

それゆえ、いまの武漢ウイルス禍のような有事になると、「疑似安全保障規定（法令）」のようなものでしか対応できません。緊急事態宣言も何の強制力もなく、すべてが「お願いレベル」です。今回は戦火なき有事ですが、もし北朝鮮の潜入工作員が複数の都市でテロを起こしたとき、「お願いレベル」で何ができるのでしょうか？　強制力のない緊急事態宣言なんて有名無実ですよ。

要するに疑似の薄っぺらい安全保障体制でチョボチョボ、チョボチョボ動いているうちに、神さまが勘を働かせてくれて、無事に有事を乗り切れたなら「めでたしめでたし」です。そうでないときは、我々の父祖が国土を焼け野原にされ、原爆をふたつも落とされ、アメリカから否応なしに憲法を押しつけられたように、今回日本が武漢ウイルスに敗戦することで、我々はようやく国家の枠組みをリフォームできるようになるのです。そのようにすさまじい国民の犠牲（生命）を払わなければ、アメリカのニュー・ディール左派の（日本の左翼政党やメディアが頑なに継承している）呪縛を脱して〝普通の国〟にはなれないのです。読者はこのことを、よく考えていただきたいです。

西村　福山さん、まったくその通りだと思うのですが、それを逆手に取ることが必要なんじゃないですか？　要するにリフォームなのです。ほんとうに「取り戻す」という形にすればいいわけです。

福山　そうですね。

西村　我が国はいま、すべてにおいて疑似国家ですよ。だから疑似憲法になってしまっているわけです。例えば安保法案のときにしても、集団的自衛権が一部行使できるか否かを国会で議論している国など、世界中探してもどこにもないのではないですか。

これは軍事の専門家である福山さんにお尋ねしたいのですが、集団的自衛権の行使など当たり前のことですよね？

私はこれまで国連（国際連合）という言葉を使わないことにしています。United Nations、つまり連合国が正しい訳で、敗戦後、外務省が日本が常任理事国であった国際連盟を意識して、「国連」という言葉を敢えて使ったのだと思いますが、あくまでも連合国です。第二次世界大戦の戦勝国の連合国です。チャイナも連合国という訳語を使っています。ですから私は原稿でも講演でも、大学の授業でも「連合国（国連）」と言います。その言い方でご勘弁願えれば、連合国（国連）憲章第五一条には、「この憲章のいかなる規定も、連合国（国際連合）加盟国に対して武力攻撃が発生した場合には、安全保障理事会が国際の平和及び安全の維持に必要な措置をとるまでの間、個別的又は集団的自衛の固有の権利を害するものではない」と書いてあるわけですから。要するに連合国（国連）加盟国の権利として、集団的自衛権の行使は認められているわけです。

福山　そうです。それを行使できるかどうかを国会で議論しているなんて、笑止千万なわけです。

西村　そういう意味でいうと、全部そういう疑似的な話で済ませていたものを、やはり武漢ウイルスが世界中で猛威を振るっているこの時点ですべて破裂させてしまい、ほんとうにリフォーム、リコンストラクトせざるを得ないという気が、私はするのです。

福山　日本人はやり切らんと思います。先の大戦で追い込まれても、日本人は国家の枠組みを変えきれなかった。だから、原爆を落とされてやっとリフォームした。それもアメリカに無理矢理やらされた。今度の武漢コロナのチョボチョボした被害くらいではできないと思います。恐らくほんとうに全国各地で同時多発的に大暴動が起こって、国家機能が完全に麻痺するくらいまでいかないとやり切らない。もともと「変化を嫌う穏やかな」民族性だったうえに、戦後レジームがもう骨の髄まで染み込んでいます。

西村　確かに染み込んでいますが、私はもうちょっと希望を持ちたいのです（笑）。インターネットがメディアとして機能してきたこの二〇年、以前と大きく違うのはメディアが受け手を洗脳すると多くの人が気づいていることです。今回の緊急事態宣言も日本の枠組みは、チャイナは勿論、欧米とも違って、強制力がない。武漢ウイルス危機は感染拡大から国民を守るのが最大の目的ですが、そのための強い行動が取れない。国民を守るはずの国家が国民を守ることができない。その厳然とした事実が、私は多くの人にいい意味で伝わっていると思うのです。

そう「できない」ように国家を監視してきたのはテレビや新聞などのマスメディアです。しかしながら、いまはとくに若い層にそういう構造を理解する人が増えているから、そういう意味ではチャンスになるのではないかと思っています。

福山　いや、ＴＢＳテレビで恵俊彰さんがＭＣをやっている『ひるおび！』という番組があります。これでコメンテーターをしている八代英輝という弁護士がいます。この人が「（緊急事態宣言を出しても）日本の法体系では、いま外国がやっていること（ロック・ダウン等）は絶対できないんです」と断言しました。彼はかつてマスメディアが口を噤んでいたことをズバッといいました。素晴らしいと思います。家内までも、もう「八代さん万歳、万歳」です。左翼テレビの偏向言説に辟易していた我が家に、久方ぶりに正論を届けてくれた八代弁護士に感謝です。コロナ対処の現状は弥縫策というか、要するにチョロチョロ、法律の表面だけをいじくっているだけです。ほんとうは憲法そのものに手を入れないと日本はリカバーできない。それは明らかです。

西村　そのリカバーできないことのダメージが骨身に染みて、原爆を落とされたくらいのショックを受けないと覚醒しないのでしょうか。賢明なる日本人よ、もっと早く覚醒せよ！　ですよ。

福山　恐らく武漢ウイルスのパンデミックは一過性のものでしょう。注意すべきは、これからも次々に、鳥インフルエンザみたいなウイルスがバージョン・アップ、つまり強毒性で感染力の高いものに変異してパンデミックを引き起こしたり、今回の武漢ウイルス禍に味をしめたテロリストやどこかのならず者国家がこっそり細菌兵器を使ったりするかもしれません。そういう恐ろしい世の中になってきて、普通のウェポンで戦う有事（戦争）だけではなく、南海トラフ大地震や巨大台風、大規模水害などの自然災害もある。これからは山ほど災厄が人間を襲ってくる可能性があります。それに対して、有事対応の基本的枠組みが抜け落ちた現行憲法の下で生きていくということは不可能だということ、それをしっかりと国民が身に染みて考えねばならないときです。

東京大学を出た大金持ちや身分の高い人たちは、現実の話、自衛隊なんか見向きもしません。私みたいに、長崎・五島列島出身の貧乏人の小倅（こせがれ）が「ただで高等教育を受けられる」という理由で防衛大学校に進学するわけですから、恵まれた家庭育ちの彼らには自身を国防に捧げることなど縁のない話でしょう。私のような貧乏人ばかりが自衛隊に入る。昔は、街頭募集（自衛隊の募集担当が街頭で若者に声をかける）といって、暴走族やチンピラなど、どちらかというと環境に恵まれない若者が自衛隊に入って、人間を磨き直して世に出て活躍するというパターンがありました。ただ、いまの偏差値教育のなかで、若い人たちが目指しているのは、楽をして金儲（もう）けができる仕事であって、自衛隊のように規律に縛られ苦労の多い仕事は敬遠する傾向にあります。国家や社会など「公（おおやけ）」に対して奉仕する気概がほとんどなくなりつつあるのではないでしょうか。いまの与野党の政治家の子女が防大に入校したり、自衛隊に入隊したりすることはほとんどないでしょう。もし、そうなら日本の国防環境も変わるでしょう。小泉進次郎議員や蓮舫議員の子供達が自衛隊に入るというなら本物ですが……あり得ないでしょう。日本のエリートたちがどんな地位や名誉を得ようと、国が平和に存続しなければ元も子もありません。

「ノブレス・オブリージュ」という考え方が欧米では一般的です。身分の高い者はそれに応じて果たさねばならない社会的責任と義務があるという、欧米社会における基本的な道徳観です。もとはフランスの不文律で「貴族たるもの、身分にふさわしい振る舞いをしなければならぬ」という意味だそうです。その例として、イギリスの場合、ロイヤルファミリーの男性は全員、軍の階級を持ち、軍務についています。エリートにそういう気概がなければ、国は成り立たないです。

西村 だからエリザベス女王が、今回の武漢ウイルス禍で国民に向けてメッセージを出しているのです。女王が特別な事態に際して国民に向けてメッセージを発するのは即位六八年の間でこれが四度目です。ちょうど彼女が一三歳のとき、一九四〇年の東京オリンピックが流れたときですから、昭和一五年。ドイツがロンドンを空襲しはじめたころに、イギリス国民と全世界の英連邦、つまりカナダやオーストラリア、ニュージーランドの国民に対して励ましのラジオ・メッセージを出しました。以前映画で演技のスピーチも見ましたが、先日、YouTubeでそのときのスピーチの音声を聴きました。感動的でした。もう軍人の精神で行動しているわけです。

日本も昔はそうだったわけで、朝香宮殿下や高松宮殿下もいらっしゃいました。そもそも帝国憲法では天皇は大元帥でした。しかしながら、敗戦ですべて根こそぎ取られてしまいました。

そういう意味で言うと、歴史の巡り合わせというものは面白いと思います。というのも、ちょうど今年（二〇二〇年）は三島由紀夫が亡くなって五〇年です。五〇年前、三島はどういう意図を以てあのようなことをしたのか？　もう一度日本人はまっさらな状態で、あのときの三島の「檄文」を虚心坦懐に読み直すべきだと思っています。これまでそんなこと、全然気にも留めなかった人も、最近では三島由紀夫の死を問い直す意識を持つようになってきていると感じます。

だから、私は福山さんのおっしゃることは理解できますが、あまり悲観的にならないで、なんとかいまの状況でも、ほんとうに国家の枠組みを再構築、あるいは奪還していくことができるのではないかと思うのです。ただ諸処の事象を見ていると、難しい面はあるかもしれません。

福山　そうですね。戦後七五年間、個人の自由や権利という側面ばかりが強調され、それが我々に刷り込まれてきました。一方で公で人のために何かをする、社会のために何かをする、国のために何かをすることの大切さは埋没しましたから。

西村　でも、今回のウイルス関連のニュースをネット等で確認していると、医療従事者に対するリスペクトとか、スーパーで働いてくれている人に対するリスペクトとかが溢れかえるほどたくさん寄せられていて、まんざら捨てたものではないなという印象です。勿論、そうじゃない輩、ろくでもないコメントを出す者もいますが、そういう意味では、日本人の良識というものは、いろいろ変わってはきましたけど、やはり父祖から数百年にわたってつながるものはあると思います。

福山　それは一点の疑義もないくらい素晴らしいと思います。一部の例外を除いて、大多数の国民は、先ほど私が批判したような話ではなく、ほんとうに社会、公、家族とかに対する非常に強い義侠心はあるし、公に対する奉仕の精神も一定はあるし、自己犠牲の精神もあるし、素晴らしいと思います。だから今回の武漢ウイルス禍という局面で、それをほんとうにもう一回取り戻し、加えてしっかりと実践して社会に反映させる。そしてこの修羅場を乗り切っていこうという社会の雰囲気にすべきです。それで先ほどから何度も言及してきた、本来的に必要なことも取り戻せます。

エリートが堕落した国家は滅びる

西村　慶應義塾大学でも京都大学でも医療従事者がすごく頑張っているときに、研修医がお粗末というか、呆(あき)れた不祥事を起こしました。四〇人以上でパーティをやったとか、自粛を求められていたふたり以上の会食を五〇人以上がしていたということです。これはほんとうにいまの日本の象徴だと思います。だから、一生懸命やっている人たちがいる一方で、こんな人たちもいるということですね。

一般とエリートに分けるのはあんまりよろしくないのですが、一般の人たちの場合、公共の意識は我々の父祖の世代と比べても、そんなに損なわれていないような気がします。3・11のときも世界中が称賛しています。みんなが秩序を守って並んで救援物資を受け取っていました。

一方で最も父祖たちと変わったのはエリートで、いわゆるノブレス・オブリージュが昔はあったわけです。いまのエリートは、勉強できる、いい大学に行く。それで、カネを稼いで自分だけがいい思いをすれば、あとはどうでもいいという人がすごく増えているイメージがあります。日本の政治も経済も導いていくのはそんなエリートたちです。だからそういう側面が変わらないと、日本は厳しいのではないかと、そういう面は忘れてはいけませんね。

福山 ほんとうに大多数の日本人は非常に健全で、いまおっしゃったように、非常時にでもまともな行動をとります。だけど「感染拡大予防のために花見は控えなさい」と国民に言っておきながら、総理夫人が花見をしたとか……そういうエリートの一部が問題です。

西村 今日も、電車ではみんな距離を取るようにして、隣に座る人いませんでした。隣は空けて立ったままとか。

福山 言われなくても自然にやっています。そのあたりの日本人の公共心は素晴らしい。だから、こういう点を、ほんとうに皆がお互いに信頼して、政府も行政も信頼し……要するにプラスのスパイラルになっていけば、今回の危機は克服できると思います。

先ほどかなり悲観的なことをいいましたが「みんなでやりましょう！」というスピリットは大切ですね。芸能界でもいろんな励ましをやっていますし、天皇陛下が一億円を寄付されるということもありましたし……エリザベス女王のように演説まではなされないかもしれませんが。

西村　たぶんなされると思います。

福山　やはりこの国にはしっかりした美徳が残っているからだと思います。銃後の人たちのために大東亜戦争で戦い、亡くなった人たちの魂というものは、そうやすやすと我々の心からは消えていかないですよ。

西村　エリートと呼ばれる人間がダメになってしまったという見立ては、先ほど福山さんがおっしゃっていたように、リーダーが覚悟を決めて行動できない環境になっていることとつながりますよね。あらゆるジャンルのリーダーが覚悟を決めて決断する気概を持っていない、あるいはできない。そういう意味ではとくにマスコミがひどいです。「コロナ痛快」などと書いていた記者がいた朝日新聞の論説委員が感染しましたけれど――これはある意味自業自得ですね。

ポジティブ・リストの弊害

西村　福山さんにぜひ、お訊きしたかったことがひとつあります。自衛隊の行動規範はいわゆるネガティブ・リストではなくて、ポジティブ・リストだといわれていますよね。「〇〇はできる」という、要するに警察や消防と同じ行動規範であると。ところが軍というものは、普通ポジティブ・リストではなく、「〇〇だけはやってはいけない」という、ネガティブ・リストで動くものだとよくいわれます。他国の軍隊と自衛隊に行動規範のベースにある考え方に違いがあることは大きな問題だという指摘がありますが、私もそう思います。日本は〝軍隊〟がないことになっています。だから自衛隊はポジティブ・リストで動いていると。そのことによって日本人全体がネガティブ・リストで思考できないのではないかという気がしたのです。今回の武漢ウイルス禍に対峙してからは、とくにそう思うのです。

もう少しわかりやすくいいますと、最初の段階、例えば被害を想定したときの各国政府の談話は——アメリカやイギリス、フランスもドイツもそうですが——すごい数字が出てくるわけです。例えばメルケル首相も「このままだったらドイツ国民の六割が感染する」と言っています。それから英国も、王立の衛生研究所がすぐ発表して「このままだったら四〇万人が感染する」とか、すぐそういう数字が出てくるのです。アメリカもそうです。先日、トランプ大統領が「二〇万人から四〇万人が死亡する」と言いました。しかしながら、日本という国は絶対そういうことを表に出さないじゃないですか。

それはなぜなのかとなった際、私はやはり憲法が原因じゃないかと直感的に思いました。そのあと、なぜなのかと理屈で考えたのですが、やはり憲法に行きあたるのです。日本人全体の思考のパターンというのがネガティブ・リストに則ることができない。ポジティブ・リストでしか考えられない。だから結局、安全弁、安全弁ということが前提になってしまう。我々は最悪の状態を最初に設定できない思考方法に陥っているのではないかと思った次第です。自衛官だったお立場からご覧になって、私の思考過程は間違っているかどうかというご意見、それから行動規範のベースとしてのネガティブ・リストとポジティブ・リストについて、どうお考えですか。

福山　欧米の軍隊では作戦前に犠牲者（死者と戦傷者）を見積もるのは一般的です。アンチ・コロナ戦争でも同じ手法で犠牲者数を見積もり、それを堂々と発表する。それより少なければ「俺の功績だ」と選挙目当てにするくらい、トランプ大統領はしたたかですね。日本の場合、自衛隊もそうですが、死者の予測などを発表しないのは、ネガティブ・リストとかポジティブ・リストというよりも、日本人のメンタリティというか、「穏やかなマインド」によるものだと思います。血を見ることに対する恐怖というべきか、例えば政府が恐ろしいシビアな予測をしようものなら、それこそパニックというか、大変な騒ぎになるでしょう。そういうことに馴染まないというか、いい意味で日本人のやさしさというか……そういうものが最悪の結果を提示することに二の足を踏んでしまうのでしょう。例えば映画ですが、時代劇でも刀で斬り殺すシーンはありますが、洋画の殺しのシーンはずっとエグくて、思わず目を背けてしまうことがあるじゃないですか。

西村 では我々の持つメンタリティですかね？

福山 メンタリティではないですかね。例えば外国では軍隊でも冷徹にワースト・シナリオを考えます。例えば、いま申したように、この国を相手にこういう規模の戦争をしたら、敵が何人死んで、味方は何人死ぬ可能性があるということははっきりと見積もります。それを皆にアナウンスするかどうかは別の話ですが。海外の軍隊はこれを平気でやります。自衛隊も同じことをやりますが、表立って公表することはないと思います。

西村 それはそうですね。

福山 でも、ワースト・シナリオを明らかにすることは、ある意味において、政治家としてのずるさの顕れかもしれません。すでに触れましたが、トランプ大統領は、武漢ウイルスでアメリカ国民が最低でも二〇万から二五万人死ぬかもしれないという声明を出しています。これは一種の安全弁でしょう。それでもっと悪いときは二二〇万人が亡くなるかもしれないといっておいて、死者数が一〇万から二〇万人くらいに収まったら、めでたし、めでたし。一一月の大統領選挙で「それ見たことか、俺のいった通りになっただろ！」とアピールするための布石かもしれない。

もうひとつ、問題だなと思うのが、日本の専門家会議というものの中身が公開されていないことです。現下、状況がさらに厳しいことになっているのですから、少しずつリアルなことを明かして、国民に現実を知らしめるべきだと、私は強く思うのですよ。

西村　そうですよ。それがなさすぎます。

福山　総理は記者会見などには、しっかりした医療や感染症のオーソリティを横に従えて、トップとして現実を語るべきです。アメリカはそういう体制で記者会見に臨んでいますよ。医療や感染症のオーソリティを従えて、そこで彼らのアドバイスや数字など的確な論拠に基づいて、現実の状況や問題などを公表するわけです。記者に追いつめられそうになったら、側にいる優秀なオーソリティにきちんと明確に説明させればいいわけです。

西村　確かに記者会見のときは必ず誰かサポート役が来ていますよね。

福山　日本政府は、専門家会議の結果を受け、犠牲者数などの根拠を明らかにしないままに、国民に「○○をしてください」などとお願いするやり方ですよね。

本来なら、感染者数を表すグラフの曲線も、もっとディテールを書けるわけです。要するに専門家会議としては、「現状から推測して、感染者数はこうなります。このあたりまで増えますよ。そしてこのあたりの数の人が死にます」という予測は、はっきり出していると思います。

それを政府はオブラートに包んで、国民が驚かない範囲で知らしめている。しかし、リアルに国民に警告する意味において、厳然とした予測を出すべきだと思います。そうでないから、みんなノホホンとしているというか、一本気が抜けている。深刻さがないわけです。

西村　武漢ウイルス禍について、深刻に捉えている人はものすごく深刻になって、お気楽な人はすごくお気楽です。深刻に考える人のなかには精神を病んでしまう人もいるわけです。いまはそれがいちばん危ない。

福山　今日、ＮＨＫでやっていましたが、五分おきくらいに手を洗わないと気が休まらないという神経過敏な人がいるそうです。それも毎回洗剤で手を洗う。そんなことしたら手がものすごく荒れます。その人は食事をつくるときも都合八回くらい手を洗っているわけです。素材を触ったら、手を洗う。スーパーのレジ袋にウイルスがついていたかもしれないということで、手を洗う。洗濯物を触っても、手を洗わなきゃいけない……それで一日に何十回も洗剤で手を洗うわけです。

西村　もともと心配性の人はそうなっちゃうのでしょうね。

福山　高校の同級生で、いま、長崎・島原市で開業医をやっているのがいるのですが、武漢ウイルス禍のせいで奥さんが鬱状態になっているそうです。そうしたら、自分も鬱っぽくなってきたとのことで、私のところに「お前は、大丈夫か」とメールしてきました。カミュの『ペスト』にも出てきますが、パンデミックの作用は人間の肉体のみならず精神にも悪影響を及ぼしますね。

西村 家庭内で伝播するのでしょうか？

福山 まだ島原市では感染者を出していない（二〇二〇年五月五日現在）のですよ。それでもそんなことになってしまう。

官僚が国をダメにしている

西村 東日本大震災のときもそうでしたが、我が国は「国民がパニックにならないように」を言い訳にして、大事なことを伝えない。この悪癖が綿々と継続しています。震災後の原発事故も結局それで、皆勝手にいろんなことを考えて右往左往して、沖縄まで逃げた人や海外に逃げた人が出たわけです。ほんとうに正しく危険を、最新の分析された数字で国民に伝えないですよね。

福山 だから流言飛語（りゅうげんひご）が出てくるのです。しっかりした国民にリアルな危険を冷静に伝えれば、流言飛語は出てこなくなります。

西村 それができないことがいま、いちばんダメなところだと思います。

福山 あれだけの日本の医学・衛生分野の権威が政府についているわけです。統計医学など関連全分野の専門家もです。だからバックボーンはしっかりしているわけですから、政府にできないことはないはずです。

西村　やはり基本は官僚が国民のことをバカにしているからですよ。

福山　いちばん悪いのは、東大を出て国家公務員採用総合職試験をパスしたから自分は優秀だというおごりです。それから今回の武漢ウイルスでは、厚生労働省の役人の初期対応の拙さには、国民は怒り心頭ですね。彼らは全部〝掃除〟しちゃって、代わりにお医者さんなどのテクノクラートをそこに就けたほうがよいのではないでしょうか。そういうことをいわれてしまうくらい、いまの官僚制度は大きな行政の目詰まりを起こす元ではないかと思います。

官僚には、中国の科挙の制度をルーツとする偏差値万能の人材採用ではなく、もっと多種多様なキャリアを持つ人材、多種多様な価値観・能力を持った人材を入れるべきです。そしてがんじがらめの組織の論理で動くような者ではなく、もっとフリーにどんどん積極的に行動する官僚を使っていかなければ、危機に対処はできません。要するに、「これは憲法第九条に合致しているかどうか」とか、「前はこうだったから、この部分は正しい」という発想をする……こういうことをやるような官僚では、進むものも進まなくなりますよ。

西村　福山さんのお話を伺っていて、官僚が一般の国民を基本的にバカにしているという印象を持ちました。彼らは「ほんとうのことを教えたら、こいつらパニックになるから、面倒臭えから、適当にやっとけ」というようなスタンスでいるのでしょうか?

福山　善意でいうと、「パニックになってかわいそうだから」ということでしょうか。どちらにしても、やっぱり「国民はバカだ」と思っているのではないでしょうか。作家で参議院議員の青山繁晴さんが書いていましたが、東大出た人間が役人をやっていて、慶應の経済を出た人間が財界で偉くなって、早稲田の政経を出たやつがメディアを牛耳っていて——それで日本はこんな国になってしまったのだと。これは正鵠(せいこく)を射ていると思います。

官僚のほかにもメディアの人間も国民のことをバカにしていますし、済界のエリート、経団連(日本経済団体連合会)や経済同友会、日本商工会議所にいる連中も国民のことをバカにしています。だから、そこが日本のいちばんの病巣である気がします。

西村　武漢ウイルス禍への経済対策にしても、個人で税金を払えない世帯には三〇万円を支給するという政策は、政権与党内でも複数の箇所から「問題がある」と指摘され、一律一〇万円支給に急遽(きゅうきょ)変更されました。補正予算案の組み替えがあって財務官僚に大変な負荷を強いたと思いますが、そこを押し切っての予算案提出~予算成立は評価していいと思います。あと、消費税です。これは財務省のいいなりになって上げていったわけで、いまは有事なのだから二年間凍結、ゼロにするとかやったほうがずっと世の中が明るくなります。そのあとほんとうに武漢ウイルスが収束したら、経済はグーンと伸びますよ。

福山　みんながお金を使うから、結局税収は増えるでしょう。

西村　そんなことがなんでわからないのか！　と思います。財務官僚がダメなのですね。だからそういう既存の悪習をぶち壊さないといけないのだけれども、残念ながら安倍政権では無理だっていうことが……。

福山　偏差値教育の勝者というのは、人間の心の機微がわからないのですかね？　やはりいかに多様な経験（とくに失敗・不合格などの辛い体験）をし、例えば豊臣秀吉のように苦労しまくったかが肝要になってきますね。徳川家康にしても長い間人質にされていて、非常に苦しい思いをした。それで人の心が読めるから、人を思うがままに誘導したり、人の裏をかけるわけです。試験に受かるのは、ひとつだけの答えを見つけるのに卓越したスコアを取れる連中です。彼らは学生時代を通じ、ひとつの答えを見つけることを刷り込まれています。それで成功体験を積み、「めでたし、めでたし」で上昇していくのです。

他方、試行錯誤をしたり間違いを重ねたりして、いろんな価値観を見つけられたり、認められたりする人間は、残念ながら我が国では評価されないのです。しかし、世の中はひとつの答えだけでは対応できません。複数・多数の答えのなかから最適のものを見つける能力が必要なのです。

複数の回答を発案できる能力は極めて重要だと思います。

西村　結局、それは教育問題に収斂（しゅうれん）していく気がします。

福山　日本の場合、エリートは勿論、国民をどう教育するか、つまり我々にどんな価値観を持たせるか、公をどう位置付けるかとか、そういう課題をないがしろにしてきたような気がします。

西村　世界標準に則って、国のことをどう思うのかとか、公というものをどう思うのかを教えるということは、日本のいまの教育界、ちょっと左翼がかっている人たちから見ると、軍国主義への道まっしぐらということになってしまうではありませんか。そこから直していかないとダメです。

福山　要するに国家としての活力を持たせる、国民をひとつに収束させて大きな壁を突き破るような力をつけるということは、軍国主義であるという見方をするわけです。日本とは対照的に、韓国はすべての若者を徴兵の対象にしています。それからフランスも徴兵制復活の動きがあります。そういう国々に比べて日本がどんどん沈下していくというのは、それはほんとうに戦後のパラダイム、戦後の羹（あつもの）に懲りて膾（なます）を吹く、すなわち、軍事に関するものは「全否定」という考えに原因のひとつがあると思います。我々は、「軍事全否定」というアメリカのニュー・ディール左派の呪縛を克服しないかぎり、地盤沈下を止められないのではないでしょうか。

それともうひとつ、さっきの官僚についていえば、高校くらいまでよく先生からいわれたのは、昔は「由らしむべし知らしむべからず――為政者は国民を施政に従わせればよいのであり、その道理を国民にわからせる必要はない――」ということでやってきたのだという話でした。これがいまも形を変えて「由らしむべし知らしむべからず」という扱いです。現下の武漢ウイルス禍対策についても同じです。

敵を知って、初めて自分がわかる

西村 四年前、安倍政権の下でネットアセスメント――戦略的対立関係にある二国間の成りゆきや流れを、さまざまな統計に基づいて評価し、自国と敵国の強いところと弱いところを明確にすること――を一度やろうとしたのですが、中止になったという話、ご存じですか？

福山 知りませんでした。

西村 アメリカのジャーナリスト、ビル・ガーツが書いていました。定期的に読んでいる「ワシントン・フリービーコン」という政治・外交・安全保障専門メディアの記事に出ていたのですが、日本の内閣情報調査室が中心となって、ネットアセスメントをついに日本もやろうとしたと。日本が敵国の戦力分析に着手したのは真珠湾攻撃以来とのことで、それはそうだろう、とちょっと笑いました。「やっと日本も普通の国への第一歩を踏み出すのか」と興味深く読み進むと、ところがその計画に待ったをかけられて、止まったとのこと。そういうレポートがありました。

その記事を読んだのが、トランプが当選する直前だったから四年前です。「えっ？」と思ったのですが、日本のマスコミは裏を取っていないどころか、触れてもいない。そのあと総理にお会いする機会があったら直接訊いてみようと思ったのですが、その機会がずっとないままなので、福山さんにお訊きしたかった次第です。

もしほんとうにネットアセスメントができるのなら、それは我が国の戦略にとって、ものすごく大きな一歩になると思います。なぜストップをかけたのかわかりません。ちょうど南シナ海で中国がやりたい放題を始めたころです。自衛隊の立場からすると、この経緯をどう思われますか。

福山　まずネットアセスメントとはどういうものか、どういう意味があるのかを申し上げましょう。アメリカの国防官僚でアンドリュー・マーシャルという人がいました。昨年（二〇一九年）、九七歳で亡くなりましたが、九〇代まで現役で、一貫してアメリカのネットアセスメントは彼が中核的な役割を果たしていました。

ネットアセスメントとはこういうものです。国が軍事力を持ち、産業を持ち、発展していくというときは、四半世紀（二五年）後にどうなるかということを予見しないといけません。未知の大地を進むとき、羅針盤が必須ですが、ネットアセスメントとは羅針盤みたいなものでしょうか。

例えば科学技術はどう発展していくか、中国はどうなっていくか……もうありとあらゆる思想から軍事、通商、文化、技術等々について、現状から将来を展望したものを分析するわけです。

西村 思想もですか？

福山 国際・国家・社会を構成しているものはすべて対象になります。それらを綿密に分析して、自国や敵国、世界がどんなふうになるかを予見するわけです。例えば「中国はこうなる。ならば、我々はその先を越してこういうものを準備しよう。こういう兵器をつくろう。こういう分野にお金を投入しよう……」というカタチで、もう国全体で対処するわけです。だから国家戦略も国家予算も、細かい戦術や政策なども、すべてその根拠はネットアセスメントにあるというわけです。勿論、将来のヴィジョンもネットアセスメントをベースに形づくられていくわけです。

ネットアセスメントは非常に興味深い話で、例えば陸上自衛隊は陸・海・空、すべての自衛隊のネットアセスメントをやるのです。というのも、自分たちがいまからどういう性能の護衛艦を何隻つくり、どういうミサイルを導入し、新たな戦術を目指すかということは、将来、敵と戦うときに大変重要になってきます。その検討をする基になるのがネットアセスメントですから。

陸上自衛隊では、ネットアセスメントはアメリカほどの規模や権威がなく、ひとりの幹部自衛官がチョボチョボやっているのが現実です。そのため、全自衛隊の将来構想に影響を及ぼすものではありません。これは本来防衛省全体として、あるいは国家としてやるべきことだと思います。会社だって、二五年後に技術やマーケットがどうなるかを考えなければならないのは当然のことです。憲法第九条の呪縛はこんなところにまで及んでいるのでしょう。

財務省に「我々はこの武器が必要なのだ」と説得する際の、嘘っぱちでもいいから理由をつくるわけですから、ネットアセスメントは西村さんがおっしゃったように、内閣がやるべきです。

しかしさらにいえば、例えばパンデミックのような事態に対しても、私がずっと主張してきたのは、総理が主催してCPX（Command Post Exercise）をやるべきだと。

西村　じつは私も今年（二〇二〇年）一月下旬の武漢ウイルス発生時点で、安倍総理は一刻も早くNSC（National Security Council、国家安全保障会議）を招集すべきだと書きました。出演番組でも言いました。それだけの危機の予感が確かにあったからです。それで、パンデミックへの対処と情報分析、諜報活動だけでなく、東京オリンピックの一年延期をIOCと秘密交渉するべきだと二月上旬の出演番組でも提言したのです。ところでCPXとはなんでしょうか？

福山　CPXというのは兵棋演習（War Game, Military Simulation）のことで、戦争を地図上において状況（シナリオ）に従って敵と味方に分かれて作戦行動を再現して行う軍事研究です。勿論敵味方を裁定する審判役が必要です。日本において、自衛隊は「指揮所演習」と呼称し、報道されることもありますが、旧軍時代から多用されてきた「兵棋演習」という呼び方もあります。

西村　図上演習みたいなものですね。

福山　それを軍事の分野だけで行うのではなく、国家レベルでやるべきだというのが私の提言です。例えば尖閣列島で〝中国の侵略事態〟が発生したシナリオを想定し、総理大臣主催で防衛省のみならず外務省など関係省庁の幹部を集め、進行役が想定できるシナリオを時系列順に動かしていくのです。その演習を実際にやることで、いまの日本政府の体制・対応ではこんな問題に対しては何もできない、打つ手がない「我々の盲点」だ、ということなどが見えてきます。こういう問題点が明確に出てくると、「では、これについてはこう解決しよう。そのバックボーンとなる法律もつくろう」と議論が進展します。私はかねてからこのCPXを総理を中心にして、やるべきだと提言し続けています。今回の安倍政権の武漢ウイルス対処におけるドタバタ劇を見ていると、ますますCPXの必要性を感じます。

西村　内閣がNSCを招集したときにやるべきということですか?

福山　国家の重大なイシューについては、総理を中心としてCPXをやり、全省庁の幹部を少数精鋭で選んで参加してもらう。そしてそれはすべて克明に記録を取ります。そうやって初めて

「このイシューにはこういう論点があって、それに対して、例えば行政のなかではこういうコーディネートをして、結論をいつまでに出さないといけない」という案件が出てくるわけです。そして、こういう法律を作ってサポートしないといけない、このくらいの金額の予算をつけないといけない等々、具体的な課題が出てくるのです。

そういう細密な検証を抜きにして、武漢ウイルスのパンデミックのような事態が起きたからといって、行き当たりばったりで対処しても、残念ながら後手後手になってしまいます。そういう危機対応というのはすべて機密の文書にして、ファイル化して、対処の計画をつくっておかないといけません。そんなわけで、自衛隊は想定できるすべての局面について、そういう計画をつくっています。自衛隊だけがつくっても、肝心かなめの、政府が各行政府総がかりで策定した計画がなければほとんど意味がありません。政府の怠慢は国民の犠牲で贖（あがな）わなければいけません。

西村　NSCを招集したときに、いま福山さんがおっしゃったCPXが行われていると思います。NSCには各省庁から来るわけですから。それでそこで議論された内容を記録し、ファイルをつくっておくことが必要ということですね?

福山　警察や外務省が主導するNSCで、CPXが行われているとは思えません。彼らはその手法を知りませんから。自民党政府は、一貫して制服を排除してきました。残念ですが、いまの自民党政権の下では、自衛隊は国防をまっとうできないと思います。
CPXを通じて得た成果を基に、例えば「中国の侵略に対する対処計画」「各種パンデミック対処計画」「各種自然災害対処計画」などが国家の計画として策定されます。これに基づいて、各省の計画ができるわけです。このような国家総ぐるみの事態対処がなされていない限界・問題が今回の武漢ウイルス対処のドタバタ劇でわかると思います。

西村 四年前に、安倍総理の下でネットアセスメントをやろうという計画が止まったことの意味というのは……。

福山 私はそれについては聞いたことがないし、わからないですね。だいたい想像するに、総理のそういう分野のスタッフは警察と外務省の出身ですよね？ 彼らに軍事の何がわかるのですか？ NSCに参加している防衛省の者は、航空自衛隊の将補くらいがトップと聞いています。
そもそも安倍総理に制服OBを重用する考えはないでしょう。その点、トランプ大統領は必要に応じて軍人を重用していますから、実情をよく理解しているのだと思います。自衛官は自民党政権には満足はしていないと思います。ほかにましな政党がないから仕方なく支持しているのが現実だと思います。

西村 NSCに防衛省から参加している人はいないじゃないですか、自衛官がNSCに。

福山　いや、入っていることは入っていますが〝小間使い〟ですよ。
　要するに私がここで言いたいのは、ミリタリー・カルチャーが日本にはないということです。
西村　だから警察になってしまう。
福山　要するに、諸外国は全部……ミリタリー・カルチャーを持ち、それを十二分に活かしているのです。
　かつて日産自動車の広報部から頼まれて、幹部社員にインテリジェンスについて講演をしたことがあります。私、最初に「カルロス・ゴーンなんか早く辞めさせろ」「あなたたちの会社はフランスの植民地か、ルノーの植民地か？」と言いました。すると彼らは慌ててテープ・レコーダーで音声を録るのを止めました。次に言ったのは「なんであなたたちはフランスに負けるのかというと、ミリタリー・カルチャーがないからだ」ということです。みんなキョトンとしていましたけれど。フランスはエコール・ポリテクニーク――理工科学校。エリート養成機関であるグランドゼコールのひとつ。一七九四年にパリに設立された。小規模な大学であるが、研究レベルは高い。理工系分野に強みを持つ――を筆頭に、軍と民、官僚が皆似たような教育を受けます。そこでフランス人は、ディシジョン・メイキング（状況判断）をする場合、シチュエーションに応じてベストのやり方をするにはどうすればいいのかという、軍隊流の考え方を基礎から叩き込まれるのです。要するに敵と戦って、こうすれば敵に最も効率的に勝てる、それを導き出すにはどういうプロセスを踏めばいいのかを体得させる軍事的メソッドがあるわけです。日産のあなたたちはそれも知らんでしょう？　と。

それからあなたたちには、多数の社員をひとつの方向にまとめる、リーダーシップがないでしょう？　インテリジェンスという、情報を取ってきてどう活用するかのノウハウもないでしょう？　だからあなたたちは国際競争で負けるのだと、日産の人たちにはキツい話をしました。

西村　ほんとうにその通りです。私も折角ネットアセスメントをやろうとしたのに、なぜ止まってしまったのかというと、やはりそれをやるだけの文化が敗戦後に潰されたままになったからです。

福山　残念ですが、警察官僚も外交官僚もノウハウを知らないです。

西村　いまのNSCは外務官僚だった谷内正太郎氏（初代国家安全保障局長）がつくっています。彼は外務省の人間としてはすごく優秀な人だから、第二次安倍内閣発足のとき、アジアの「民主的セキュリティ・ダイヤモンド構想」――北は日本、西はインド、東はアメリカ〔ハワイ〕、南はオーストラリアの四ヶ国によって、南シナ海を包囲する菱型〔diamond〕の防衛網を構築するというもの。南シナ海の領有権問題で周辺諸国との対立を顕著にしつつある中国を包囲・牽制する点に主眼が置かれている――などは出せたわけです。あれはたぶん谷内氏がドラフトを書いたのだと思います。谷内氏の後任の局長は北村滋氏で、警察官僚です。本来のことをいえば、最も現実に即した人事を考慮していれば、自然と自衛官が局長になるはずです。

福山　私はひねくれもので、「この国なんかどうにでもなれ」と自衛隊将官にはあるまじき思いにとらわれるときがあります。なぜならば、〝制服〟をまったく無視・排除するからです。NSCも谷内氏の後任には、軍事に精通した自衛官ではなく、警察官僚を据えました。今後もその繰り返しでしょう。自民党政権が、外交、検察、警察におもねるのは保身のためで、自然でしょう。戦後憲法第九条というコロナ（皆既日食）の下に置かれてきた日本の安全保障や危機管理を抜本的に整備するのは、いまの体制では無理でしょう。私は一体NSCでは何をしているのだろうと思います。

西村　やはり福山さんのおっしゃる「ミリタリー・カルチャー」が欠落しているという事実は、ほんとうに日本の致命的弱点だと思います。

福山　ミリタリー・カルチャーといっても、軍隊がやっている文化や芸術ということではありません。軍隊が国家の運命を背負って、ミッション（命令）を受けたら、何を考え、どのように行動していくか……つまり、意思を決定して、どういうふうに人を募集・教育し、武器を持たせ、訓練をし、ミッションに臨ませるかという根本的な手法です。それが欠落しているのです。

日産を例に挙げれば、ルノーという会社を敵と捉えて、その弱点、欠点をすべて調べ上げます。そして「日産が勝っている分野、劣っている分野」を詳細に確認し、「日産はルノーと組んで、こういうふうに事業展開をすれば儲かる」という方策を見出し、それを実行に移す手法が必要です。

ミリタリー・カルチャーは人間の長い戦いの歴史のなかで編み出された究極の知恵なのです。日産に制服ＯＢを役員クラスで入れているでしょうか？　あり得ない話です。顧問という「存在」するだけのポストには採用しますが……。しかしながら、よその国では多くの企業に元軍人が高級幹部で入っているのです。そういう国では、ＣＩＡやＭＩ６、モサド級のインテリジェンス機関が、自国の大企業が国際的に勝負（競争入札）をするときには、裏の、盗聴などで得た機密情報のサポートまでしていることが多いのです。盗聴して、暗号を解読して、そのうえで例えば「今度の国際公開入札の指値はこうなりますよ」ということまでわかるのです。

そこまで徹底的に考えて行動している国に――いまはグローバリゼーションの名の下で浮かれていますが――日本が負ける、没落するのは当然だと思いませんか？　日本の企業が海外の、ミリタリー・カルチャーを知悉（ちしつ）している企業などと、差しで勝負するなんておこがましいです。日本の外務官僚は偏差値が高いとか、警察は優秀だとかいいますが、国際舞台の剝き出しの勝負において、ミリタリー・カルチャーを何も知らない人間は勝負になりません。

西村　そういう意味で私が先ほど触れた、ネガティブ・リストとポジティブ・リストの違いとその弊害は、言葉を換えていえば、いまの福山さんのおっしゃったことに繋がると思うのです。ミリタリー・カルチャー、即ち軍隊の文化ということは、ネガティブ・リストに則って思考することが根本にあるのです。

福山　しかもそういう文化においては、何回も何回も現実と照らし合わせて思考しています。アメリカという国は山ほど戦争しているわけです。血を流しているわけです。平時も裏でＣＩＡが戦っているわけです。そういうなかで積み上げられてきた手法というのは、同盟国であろうと絶対によそに教えません。それが厳然とした事実です。

こういう手法を企業に応用したらどうなりますか？　あるいは国家運営、外交運営においてそれをやったらどうです？　考え方も行動も大きく違ってくるはずです。

同盟国のアメリカに丸裸にされている

西村　確かに冷戦が終わったあとに、ＣＩＡの最大の仕事となったのは、一九九〇年代初頭の話ですが、それはロシアの分析ではなくて、日本のそれになったのですよね。

福山　そうですね。同盟国にもかかわらず……。

西村　それを考えると、日本のバブル崩壊は必然的であったということも理解できるし、一九八五年のプラザ合意——行きすぎたドル高の是正を目的として、ニューヨークのプラザ・ホテルでG5が開催され、①主要通貨の米ドルに対する秩序ある上昇が望ましいこと、②為替相場は対外不均衡調整のための役割を果たす必要があること、③五ヶ国はそうした調整を促進するために一層緊密に協力する用意があること、などで合意した——にしても、じつは日本引き落としのために仕組まれた儀式であったわけです。さらにいえば、福山さんのハーバード大学留学時の師匠だったエズラ・ヴォーゲルが、一九七九年に書いた『ジャパン・アズ・ナンバーワン』（阪急コミュニケーションズ　広中和歌子、木本彰子共訳）が世界的ベストセラーになりましたが、あれは日本を称える本ではなくて、日本の弱点を見つけるための本であったわけですから。だから、アメリカに関しては、そういう事実をきちんと認識したうえで付き合っていく必要があります。

福山　『菊と刀』（講談社学術文庫　長谷川松治訳）を著したルース・ベネディクトも、日本文化の非常によき理解者とか評されますが、嘘っぱちですね。

西村　はい、あれは日本を馬鹿にした本です。

福山　『菊と刀』という本は日本を研究して、日本の精神構造の硬直部分はどこにあり、何に対してロイヤリティを持つのか等々、ありとあらゆるものを研究して、そのうえで日本を占領する際にどうすべきなのかに役立っているわけです。エズラ・ヴォーゲルも同様です。私はハーバード大学留学時、彼の三階建ての家の三階に住まわせてもらっていました。ヴォーゲルは月二回勉強会（皮肉にもヴォーゲル松下村塾と呼んでいました）と称して、自宅に日本の官僚を六〇人くらい集めて——二〇人程度のグループを三つぐらいつくって——安全保障、教育、通商産業などアメリカの関心の高いテーマを設けて、一年間研究をするわけです。

西村　それはハーバード大学に留学した官僚たちですか。

福山　そうです。課長のひとつ前くらいの連中で、省内の情報をふんだんに持っているキャリアです。いまは、各省の課長クラスで実質的に国家行政を仕切っている人たちです。経済産業省を例に取れば、韓国と貿易管理問題などで鬩（せめ）ぎ合う人たちですよ。

そんな彼らが、各省のヴィジョンなど「俺はこんなことまで知ってるぜ」と自慢げにしゃべり、そのうえ最終的には文書（英文）にまとめてヴォーゲルに提出するのです。もう滑稽を通り越した世界です。その席になんとある東大教授も参加していたのです。日本の官僚やエリートは世界常識からすると「馬鹿」としか言いようがない。まるで警戒心がない。自分たちがリークした情報が、やがて日本の産業にダメージを与えるという自覚がないのです。日本のあらゆる行政情報がハーバードからワシントンに届けられています。

私はその状況に危機感を覚えたので、勉強会に参加している官僚たちに「勉強会が終わったら三階の俺の家に上がっておいで。おはぎとかお汁粉とか、いろいろ女房がつくっているから」といって、家に呼んでいました。そこで「あなたたちはエズラ・ヴォーゲルという男が何者か知っているのか？」「あれはＣＩＡの分析官だったんだよ」と諭したのです。でも彼らは「ヴォーゲル先生からお墨付きをいただいた」と喜々として、一年かけてヴォーゲルの家でディスカッションした記録を英文レポートにまとめ上げて、ヴォーゲルに提出するわけです。ヴォーゲルはそれをなんとするか。何しろ最上級の日本の国家情報ですよ……。この例のように、アメリカの大学教授は日本の東大教授などと違い、アメリカという国家のためにインテリジェンスの第一線で活躍しているのです。ヴォーゲルはその意味で対日工作の偉業を達成したインテリジェンスの達人というべきですよ。

西村　情報が入ったのですね。

福山　第一級の行政についての内部文書を手に入れたわけです。だから私は「あなたたちは、偉そうに俺はなんでも知っていると自己宣伝して、日本のことをペラペラとアメリカ人にいうけれど、すべて日本の手の内をさらしていることに気づかないのか？　それであなたたちが損するだけでなく、あなたたちが面倒を見ている日本の製造業者、あるいは商社、こういう企業の手の内をすべてアメリカに知られて、その先のおいしい部分をごっそりアメリカに貢ぐ代わりに、ヴォーゲル塾で寿司やピザをご馳走してもらったり、ワインを飲ませてもらったりしている。それがわからないのか？」と。「あなたたち、いい加減目を覚ましなさいよ」と言ったら、経済産業省のあるキャリアが初めて「わかりました。少しとぼけてレポートを出します」と答えてくれました。

それほどいまの日本の官僚は甘い。自分のことしか考えていない。昔の役人とは大きく〝志〟が違います。昔の官僚には「御国のため」ということがまずありましたから。日本は、事実上アメリカの属国ですから、官僚もその程度の意識しかないのですね。

西村　そうです。全然違います。敗戦後でも一九八〇年代、つまり昭和の時代までは、官僚は天皇の官僚でしたから。彼らにはそういう意識があったと思います。敗戦前の教育が根づいていたし、戦争で友人、家族、先輩、後輩の多くが戦死した世代だったからです。それが日本が「失われた三〇年」に入っていく平成から、ただの無機的な経済大国の官僚になったわけです。

アメリカの新戦略

福山　そういうところがアメリカの狡賢(ずるがしこ)さです。すごいです。そういう点では、ヴォーゲルが私に何回も言ったのは、「日本の軍人は頭が固い」です。それに対して私は「俺はお前よりずっと柔らかいよ。お前がしていることはみんな三階から覗いて知っているよ。今度日本に帰ったらお前のことをばらしてやるからな」と腹のなかでいつも思っていました。

それぐらいの心意気で構えてやらないと、アメリカには勝てないです。アメリカの東アジアにおける最新の戦略は、「Maritime Pressure Strategy（海洋圧迫戦略）」です。第一列島線（日本・台湾・フィリピン・ブルネイ）にある島々に海兵隊と陸軍を揚げて、対艦ミサイルを配備して、第一列島線の内側（東・南シナ海）に中国を封じ込めるとしています。

西村　南西諸島からずっと列島を伝って、南に降りるわけですね。四年前に『ナショナル・インタレスト』誌に「日本がチャイナに追いつかないで戦争に勝つ基本計画」という刺激的なタイトルの論文が載っていました。読んでみると、異常な軍拡を続けるチャイナに日本の軍事費ではとてもかなわない。そこで効率のいい戦略があるということで、南西諸島——まさにこの（二〇二〇年）四月一五日にも宮古島と沖縄本島の間を人民解放軍海軍の空母、遼寧が六隻の空母打撃群で通過して西太平洋に抜けました——に、地対艦ミサイルのミサイル群を構築することで、有事のときに日本が有利に戦えると書いてありました。結局それは、人民解放軍の戦略「A2／AD（接近阻止／領域拒否）」を逆手に取り、日本がチャイナの海軍に「接近阻止／領域拒否」を実行することで効率よく戦えると書いてありました。

福山　少し長くなりますが、アメリカの海洋圧迫戦略について話させてください。これは、今後我が国にとって死活的に重要な問題になる可能性があります。

西村　それはぜひお聞きしたい。じっくり話してください。

福山　まずアメリカの海洋圧迫戦略を理解するうえで、それに対抗する、A2／AD（中国の接近阻止／領域拒否）戦略、先ほど西村さんが触れておられた戦略について説明します。

中国は実質的に〝島国〟です。通過不能の地形や荒地に囲まれており、周辺地域から事実上隔離されています。中国の北方には人口はまばらで横断が困難な、荒涼としたシベリアとモンゴルの大草原地帯が控えています。南西には通過不能なヒマラヤ山脈があります。ミャンマー、ラオス、ベトナムと接する南部国境は山あり密林ありで、東には大平洋が広がっています。カザフスタンと接する西部国境だけが大人数の移動が可能ですが、それでも、楽な移動はできません。

西村　つまり、中国が経済的に成長し、一四億人の人民を養うためには「海」に依拠せざるを得ない。中国の「一帯一路」戦略が出てきたのはそのような理由によるのですね。

福山　「一帯一路」戦略の「出口」は、南シナ海や東シナ海です。中国の第一目標は第一列島線を影響下に入れ、南シナ海や東シナ海を〝内海化〟することです。第二目標としては、同様に第二列島線——伊豆諸島を起点に、小笠原諸島、グアム・サイパン、パプア・ニューギニアに至るライン――に影響力を行使できるようにして、中国の船が自由・安全に太平洋やインド洋を航行できるようにすることです。中国は第一目標と第二目標を達成するために、軍事的にＡ２／ＡＤ戦略を採用しています。中国は、同戦略により、アメリカ軍が第一列島線や第二列島線以内に接近・侵入したり、自由な作戦行動を阻害することを目指しているのです。わかりやすくいえば、中国は「アメリカ海軍よ、ここから先は〝通せんぼ〟だ！」というのが、この戦略です。

西村　中国のＡ２／ＡＤ戦略についてはわかりました。

福山　次にアメリカの海洋圧迫戦略について話します。アメリカは、中国のＡ２／ＡＤ戦略に対抗する戦略を父ブッシュ政権（一九八九～一九九三年）以降本格的に模索してきました。海洋圧迫戦略が登場する以前にもふたつの戦略案が議論されています。

最初に登場したのが「エア・シー・バトル構想」です。エア・シー・バトル構想は、空軍と海軍の一体運用が原点で、さらに陸、海、空、宇宙、サイバーの五つの領域及び各省庁、同盟軍事力との一体化により、中国の軍事目標（Ａ２／ＡＤシステム）を直接攻撃するというものです。それゆえこの戦略の最大の懸念は「米中の核戦争にエスカレートする」ことでした。

次に登場したのが、「オフショア・コントロール戦略」です。この戦略のポイントは、米中の核戦争にエスカレートすることを回避するために、エア・シー・バトル構想よりも穏やかであることです。オフショア・コントロール戦略では、マラッカ海峡やロンボク海峡などを機雷などで封鎖します。これにより中国の資源の輸入や製品の輸出を阻止して「真綿で首を絞めるように」中国を締め上げることが可能になります。ただオフショア・コントロール戦略にも問題点があり、中国が仮に尖閣諸島や沖縄を占領してしまえば、この戦略では奪回することはできず、中国の占領という既成事実を許してしまうということです。

そこで新たに登場したのが「海洋圧迫戦略」です。この戦略の発想の原点は、ロシアが二〇一四年、ウクライナから大きな抵抗や反撃を受けることなくクリミアを併合し、それを「既成事実化」したことです。

アメリカは、エア・シー・バトル構想やオフショア・コントロール戦略では、中国が意表をついて尖閣諸島などを軍事占領すれば、核戦争までも覚悟して中国に反撃するのは難しいと考えたのではないでしょうか。だから、中国が「気安く手を出せない抑止戦略」を見出す必要があったのでしょう。それに応えるのが海洋圧迫戦略だと私は考えます。

海洋圧迫戦略の最大の特徴は次頁の「海洋圧迫戦略のイメージ図」に示す通り、第一列島線の島々に直接アメリカ陸軍や海兵隊を配備し、その地対艦、地対空ミサイルや電子戦システムなどにより列島線を「要塞化」することです。これらのアメリカ軍は自衛隊など同盟軍と協力して第一

海洋圧迫戦略のイメージ図

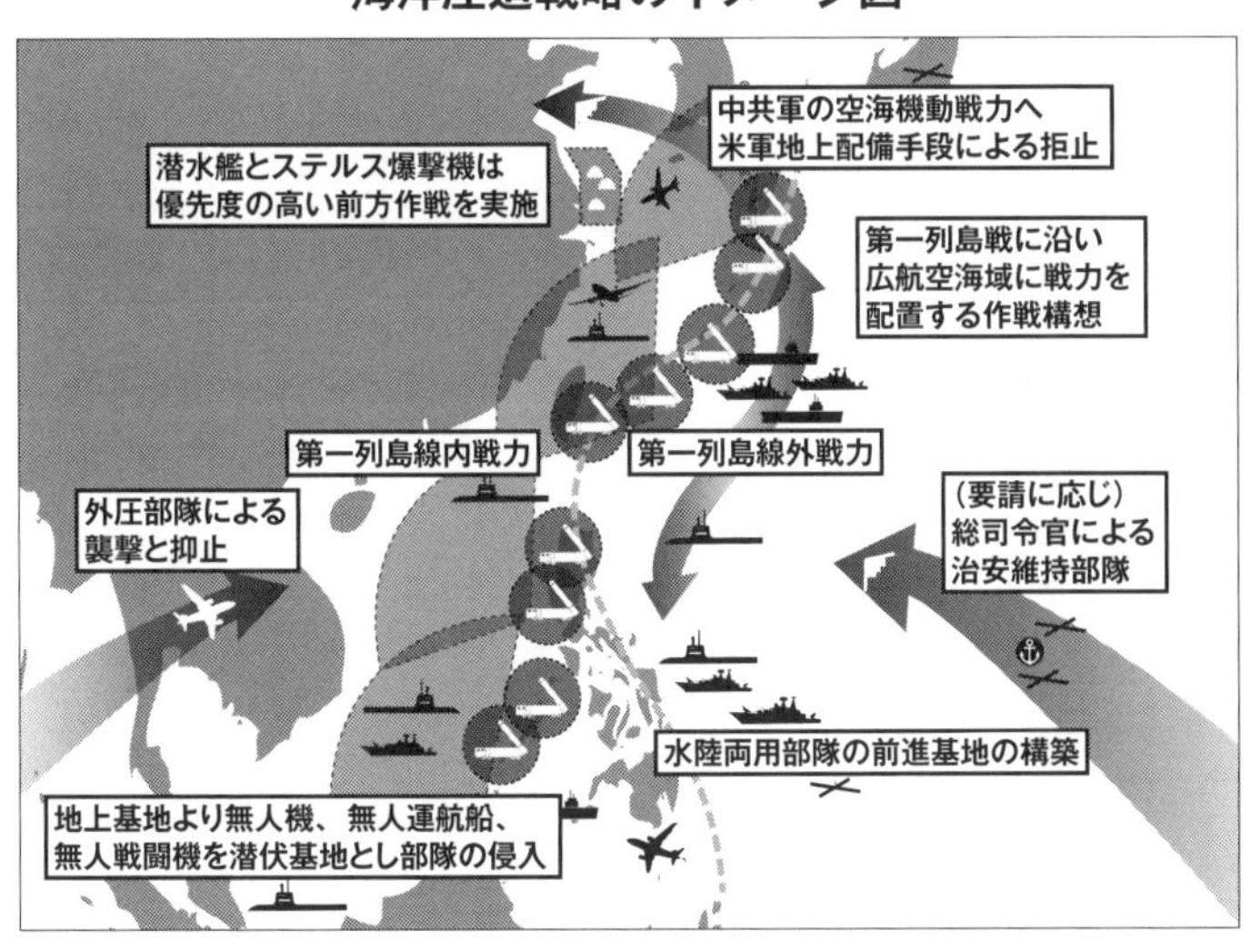

列島線の国々をしっかりと防衛するとともに、東・南シナ海内の中国海・空軍を打撃することができます。アメリカ軍では、これらの部隊を「インサイド部隊」と総称しています。

アメリカ軍は、「インサイド部隊」とコンビで、空母機動部隊を含む海空の大兵力を「アウトサイド部隊」として第一列島線と第二列島線の間に分散して展開します。「アウトサイド部隊」は、長距離の対艦ミサイルなどで「インサイド部隊」を援護するとともに、必要に応じて第一列島線付近まで進出し、「インサイド部隊」の戦力を増援する役割も果たします。

アメリカ軍の対中国戦略を担うインド太平洋軍のデービッドソン司令官は、米議会に提出した報告書（二〇二〇年四月六日）で「第一列島線に地上発射ミサイルを配備」することを明らかにしました。この同司令官の声明は「インサイド部隊」のことに言及したものでしょう。いずれにせよ、アメリカがこの戦略を先取りして採用し、実行すれば、中国は事実上第一列島線のなかに封じ込められた状態になります。中国がこれを容認するはずがありません。厳しい衝突が米中間のみならず日本などの同盟・友好国を巻き込んで起こる可能性が高いのです。

米国が、ロシアとの間で締結していたＩＮＦ（中距離核戦力：射程五〇〇〜五五〇〇キロ）全廃条約から昨年（二〇一九年）、離脱したのは、海洋圧迫戦略に基づいて、中国に遅れを取ったＩＮＦを強化しようという狙いがあるものと思われます。

西村　アメリカ軍の海洋圧迫戦略が日本に及ぼす影響はどんなものがありますか。

福山　第一にアメリカ軍基地の機能が相当に変わるでしょう。従来の基地機能はアメリカ軍戦力を維持し、これを中東、東南アジア、朝鮮半島などに投射すること（パワー・プロジェクション）に大きなウエイトがありました。しかし海洋圧迫戦略では、基地を「陣地や拠点」として使うことになります。勿論、アメリカ陸軍や海兵隊は基地内に留まることなく、中国のミサイル攻撃の目標にならないよう日本などの同盟・友好国内を自在に動き回ることが必要になります。その場所は日本国民が住む都市も例外ではないでしょう。この問題に関し、今後論議が巻き起こるのは必至と思われます。

第二に、アメリカ軍の「インサイド部隊」が直接日本に配備されれば、アメリカの日本防衛の意思を表明することになり、日本にとっては中国の攻撃に対する強力な抑止力となるでしょう。従来のエア・シー・バトル構想とオフショア・コントロール戦略の場合、在日アメリカ軍は中国のミサイルによる飽和攻撃の被害を免れるため、日本からハワイやグアムなどの安全圏に退避することになっており、日本の国防には役に立たない恐れがありました。

第三は、万一アメリカが抑止に失敗した際、日本は米中の主戦場となることです。ミサイルや空爆などの応酬になれば焦土化の恐れがあります。このように、アメリカの海洋圧迫戦略は、我が国にとってハイリスク（焦土化の恐れ）とハイリターン（抑止力の強化）の両方の可能性をもたらすものです。

第四は、日本の「政治」そのものが米中の争奪戦場と化す恐れがあります。中国の工作が進む日本のメディア（大半は左派）は、アメリカ軍の「インサイド部隊」配備に猛烈に反対の論陣を張り、世論を扇動することでしょう。日本の世論は「親米」と「反米（親中）」に分裂し、自民党政権は過去の六〇年安保騒動時代と同様に苦境に立たされると思います。安倍総理の祖父である岸信介総理はそれによって退陣しています。

その騒動が嵩じれば、日本で親中派の与野党連合政権が誕生するかもしれません。そうなれば、日米安保条約は破棄されます。

西村　私はすでに日本は主戦場になっていると思います。〝見えない東京の壁〟があるからです。ベルリンの壁と同じように、冷戦構造を表わす壁で、実際に戦いが起きています。ですから、六〇年安保を再現しないように、情報空間を東側に占拠されないことが重要です。

福山　サンダース米上院議員は四月八日、大統領選の民主党候補指名争いからの撤退を表明し、バイデン前副大統領が候補に決まりました。今年（二〇二〇年）一一月の選挙でトランプ氏かバイデン氏のどちらかが次期大統領となります。また、安倍総理の自民党総裁としての任期は二〇二一年九月末日までありますが、米国が海洋圧迫戦略を採用し、新たに「インサイド部隊」の配備などを行う場合、交渉する日本の相手は次期総理大臣になるものと思われます。

繰り返しますが、もし次の米国大統領が海洋圧迫戦略を採用すれば、日本は現在の在日アメリカ軍に加え、新たに「インサイド部隊」の配備を受け入れ、地対艦・地対空ミサイルや電子戦システムなどにより国土を「要塞化」することになります。この措置は本来「対中国抑止」が目的ですが、万一米中戦争になれば、日本は米中の主戦場となります。ミサイル攻撃などで焦土化され、夥しい人命と財産が失われるのは必至でしょう。

日本にとってアメリカ軍の「インサイド部隊」の配備を受け入れることは、さほどの覚悟の要る決断です。従来の日米安全保障関係は「アメリカ軍による片務的な日本の防衛」でした。それゆえ、日本は一九七八年以来、傭兵の代金として四〇年間以上も莫大（ばくだい）な「思いやり予算」をアメリカに支払ってきたわけです。しかし、情勢は変わりました。アメリカが中国との覇権争いのために海洋圧迫戦略を採用すれば、日本は文字通りアメリカの「防波堤」にならざるを得ません。日本はアメリカによる強力な抑止力を手に入れることができますが、「防波堤」になることにより、中国のミサイル攻撃などで焦土化し、尊い人命と財産が多数失われることが考えられます。こうした「マイナス要素」を考えれば、割に合わない話ではないでしょうか。

トランプ政権は在韓アメリカ軍経費負担増大（従来の五倍である五〇億ドル）を求め、交渉は難航しています。次は日本の番です。私は日本の次期総理大臣――あるいは安倍総理かもしれません――に以下のように提言したい。上記のような理由から「日本は今後『思いやり予算』を支払うつもりはない。反対にアメリカが日本に『思いやり予算』を支払うべきだ」と切り返すべきではないか。日本には「日米同盟を解消し、中国とアメリカのいずれとも与しない」という選択肢もあるのです。

西村　それには憲法第九条改正が必至になります。当然、核武装もしなければなりません。しかし、同盟なしの自主防衛には大変なコストがかかり、軍事費は最低でもいまの五倍は必要だと思います。

福山　次期アメリカ大統領にも以下を提言したい。アメリカのインド・太平洋地域の覇権維持にとって日本はまさに「礎石（Cornerstone）」です。日米同盟維持のためには、アメリカ側もさらに日本に対し配慮すべきです。これまで、アメリカは日本のアメリカ軍基地の受け入れや負担を当然のこととし、一方的に要求を日本に押しつけてきました。そのため、ときの日本政府はソ連・中国の意を忖度する野党やメディア（いずれも左翼）に突き上げられてきました。その背後では、日本の先祖がえり（再軍国主義化）を恐れるＣＩＡも加担していたのではないでしょうか？　今後、アメリカは日本が用意した「座布団」に居座るだけではなく、日本政府と国民に対し、思いやりと礼儀を尽くしてもらいたいものです。アメリカ兵による犯罪事案などを防止することにもっと気を使うべきではないでしょうかと。

中国との熾烈な覇権争いを行うアメリカは、日本の敗戦とそれに続く占領支配以来、習い性となっている「上から目線」はもう通用しないことを悟るべきです。

西村　武漢ウイルス禍という状況のなかで、こういうアメリカの戦略変更の話が出てくるというのは、物事の表と裏が表われているということです。

福山　アメリカも中国も武漢ウイルス禍のドサクサに紛れて、熾烈な覇権争いをしています。例えばアメリカが日本近海に配備している攻撃型原子力潜水艦に小型の核弾頭付きミサイルを装備する決定とか。でも日本のマスメディアの目は節穴だからか、そういうことは報道されません。私は目についたら、ＪＢプレス等に書いていきますよ、これからも。外務省も気がつかないのか、気がついているのに知らんぷりを決め込んでいるのか知りませんが、こういうことが報道されていない、管轄官庁が問題視していないということは、とんでもない話です。

メディアこそ変わらねばならない

西村　今回のコロナ騒動、武漢ウイルスのもたらした有事で、アメリカはどう変わっていくと思われますか？

この（二〇二〇年）三月二六日、上下両院で可決されていた台湾の外交関係を支援する法律が成立しました。この法律は、台湾が正式な外交関係を持つ国と関係を強化できるようアメリカ政府として支援するとともに、台湾の安全を損なった国とは外交や経済関係を見直すという内容が盛り込まれています。また、台湾の国際機関への参加も促進すべきだとしています。

福山　案の定、中国は反発し、台湾は歓迎していますが、台湾とＷＨＯが非難の応酬をしています。ああいう〝駆け引き〟を見ていると、相互に油断も隙もないですね。どこの国も自国に有利と見たら、なりふりかまわず動きます。

西村　国際的に、どこの国もそうですが、日本だけやりませんね。

福山　アメリカが中国の逆鱗に触れかねない法律を成立させたという事実さえも、我が国は正しく評価しているのかわかりません。

西村　評価どころか、きちんとした報道もありませんから、国民は知らないのです。

福山　世界の日々の情報というのはほぼリアルタイムに、オープン・ソース・インテリジェンス（オシント）となって、メディアなどで流されています。ただそれらをどう理解・評価し、ほかの情報と関連づけるか……つまり、分析することが肝要です。私自身はそれを実践していくことでＪＢプレスの記事を書いています。ビジネスで銭儲けをするにせよ、外交や国防のためにやるにせよ、そういうアクティブな情報分析というセンスは個人にとっても国家にとっても重要です。日本にはＣＩＡのような諜報機関がないのですから、我々には公開情報に着目して深く理解・分析することが必須です。国家として生き残るために。

西村　そういう意味でいうと、情報環境を理想的な状態にもっていくためには、いまのメディアだと絶対無理です。例えば福山さんは執筆活動をされています。私も書きます。そういう従来のマスメディアが伝えなかったことが増幅し合うような形で、マスメディアとは違うところから発信されるようになっていけば、国民に強く深く伝わるようになると思います。いろんな切り口の情報が新しいカタチで出てくれれば、絶対多くの人が読みにいくと思うし、見にいくと思います。

福山　最近、メディアの置かれた環境が激変しつつあると思います。

じつは『毎日新聞』に、高校〜防大の後輩がいます。彼が沖縄駐留アメリカ軍について寄稿してくれというので、五〜六年前、沖縄のアメリカ海兵隊のグアム島等への移転について書いたことがあります。私が書いたことは本質を突いていたのですが、毎日新聞側はほとんど注目しなかった。彼らは、社のスタンスに固執し、自由な論説を嫌っていると感じました。「大新聞に書かせてやっているのだからありがたく思え」と言わんばかりの恩着せがましい雰囲気もあった。匆論原稿料もタダです。書いた原稿について「あそこを直せ、こう直せ」と上から目線でとにかくうるさかった。

一方で最近ＪＢプレスに書かせていただいて、新聞などの既存のメディアとまったく違うと思ったのは、編集部は原稿にいささかもケチをつけないのです。伸び伸びと思ったことを書ける雰囲気です。新聞のように、字数の制限がほとんどない。思い切って、自分の分析や主張を十分に伝えられます。非常に面白いのは、既存のメディアのように保守・リベラルなどの切り口にとらわれずに、思ったことを書いてほしい。頻度はいくら多くてもいいというのは嬉しいですね。朝日新聞と違ってきちんと原稿料もくれます。さらに嬉しいことに、私の寄稿を読んでくれる人がけっこういることです。恐らく従来の保守・リベラルなどの切り口に馴染んでしまうと、トランプという一種アブノーマルな大統領の発言や行動が理解できないのでしょう。公開情報を冷静に分析すると、トランプは冷静に状況判断をし、アメリカの国益のために適切な判断をしていることが多いです。多少ビッグマウスなところがありますが、あれも演出のひとつかもしれません。

さらに興味深いのは、一流の有名ジャーナリストが複数執筆しているわけですよ。それでどうやってランクづけをしているのか知りませんが、私の記事がしばしば上位になるのです。そうすると「プロのジャーナリストと競って元兵隊の俺でも通用するんだな。読者は俺が書いたことも認めてくれるんだな」と嬉しくなり、自信もつきます。

西村 それは新しいメディア状況ならではの出来事で、これからよくなっていく表れのひとつだと思います。これからは誰が書いた原稿か、何をやっていた人が書いた論文かという属人的な理由ではなく、書かれていることそのものが興味深いかどうか、リアルかどうか、それに尽きるのです。だから福山さんの論文に対するアクセス数が伸びるわけです。

官僚が国民のことをバカにしているとか、正確なことを話すと国民が混乱する、パニックに陥る——福島原発事故のときが典型だと思いますが——とかいわれていましたが、昔と違って、国民がそこまでバカでなくなったのだと思います。なぜなら、国民には情報を取る手段が増えたからです。例えば海外からも取れる、実際に現場にいる人からも取れる、在野のインテリジェンス能力に長けた人の分析も取れる……つまり国民は官僚が思っているほどバカではなくなった。かつてとは変わったのです、きっと。

ターゲットにされているヨーロッパ

福山 武漢ウイルス禍が収まらないなか、すでに具体的に出てきているのは、これまでのグローバリゼーションの見直しで、経済的には生産拠点を自国内に引き戻す、あるいはもっと多数の国に散らばるというのは、もう当然の帰結ですね。いわゆるサプライ・チェーン・リスク——部品供給元の被災により部品供給が遅れたり、特定技能を有する技術者の退職により事業を計画通りに遂行できなくなるリスク——が顕現しましたから。

西村 武漢ウイルス禍が起こる前に、すでにトランプ大統領が登場して、自国中心主義で自由貿易主義よりも保護主義的になるような雰囲気があったじゃないですか。それがさらに加速すると思います。一方、過度なグローバリズムに陥らない自由貿易が必要になります。

福山　それはひとつあるでしょうね。世界大恐慌や第一次世界大戦のあと、アメリカ・ファーストの端緒はありましたが、やはり大きな動きはブロック経済化ですね。ブロック経済とは、世界大恐慌をきっかけに構築されたシステムで、イギリスやフランスなどが自国の植民地との間で排他的な関税同盟を結んだことがきっかけとなっています。トランプ大統領は、米国の輸入品に対して関税をかける、あるいは輸出企業の税負担を軽くするような制度の構築を示唆していますが、これは米国内と米国外の市場を完全に峻別（しゅんべつ）するということなので、ブロック経済的な制度と考えることができます。

　じつはＥＵも同じ考えで成り立っていて、域内においては自由貿易が保証されています。その一方で外部に対しては同一の関税が適用されるというシステムです。これはまさに関税同盟です。今回の武漢ウイルス禍で、恐らくヨーロッパはものすごく埋没します。それ以前からＥＵが瓦解するという方向に進んでいましたが、武漢ウイルスでヨーロッパがすべて埋没して、瓦解して、散らばってしまえば、立ち直るのは至難の業です。だから、ヨーロッパは武漢ウイルス以前、自国回帰が進んでいた印象ですが、武漢ウイルスのお陰で逆にもう一回団結する（縋（すが）りあう）契機になるのかもしれませんね。

西村　さもなければ、ヨーロッパは歴史的に世界大戦の温床ですから、第一次世界大戦、第二次世界大戦と同じようにヨーロッパが自国回帰を促進して断絶を深めていくと、大きな戦争になるかもしれません。例えばドイツとフランスはEUで仲良しに見えましたが、歴史的に見ると犬猿の仲ですから。ずっと戦争をしていました。

福山　それからロシアという国は、隙あらば巻き返そうとしています。ソ連崩壊後、NATOに押し込まれて、バルト三国――エストニア、ラトビア、リトアニア――やポーランド、チェコなどがNATOに加盟してしまいました。今回の武漢ウイルス禍でNATO諸国が弱っている隙に乗じて、押し込まれた前線を巻き返そうと、かねてからヨーロッパに供給していた石油や天然ガス等の資源を利用して、ヨーロッパをコントロール下に置こうとするでしょう。大国が小国と向き合うときは、小国に団結されるのが最も避けたいことなので、デバイド・アンド・ルール――分断統治。被支配者を分割することで統治を容易にする手法――で治めようとします。つまりロシアは相手国グループ（EU）を分断して、石油や天然ガスのパイプラインを開けたり閉めたりして、「資源がほしかったら、すべてプーチン様のご意向に従いなさい」という世界が最も理想的です。ロシアとしてはそういう志向をするでしょう。つまりヨーロッパを分断しようとするでしょう。そして隙あらば、例えばバルト三国あたりは、軍事的手段を用いることも厭わず早急に奪回して再び支配下に置く。第二次世界大戦当時と違って、もうポーランドは取れないということはありますが、ポーランド以外に容易に取れる国は、どんどん支配下に置いていくでしょうね。ウクライナなどは風前の灯火かもしれません。

西村　私もEUは分裂に向かうと思います。ただ一方でヨーロッパの新しい核となるものを模索せざるを得ないでしょう。というのも、求心力になる国家がなければ、それこそロシアのやや乱暴なエネルギー政策や外交に振り回されることになるからです。それはドイツもフランスも嫌うことです。ですから、EUという形を取らなくても、北欧がキーになって新しい欧州の安定的な枠組みがロシアのお蔭で出来上がるかもしれません。

また、イギリスはEU離脱でアジアへ回帰しつつ、ヨーロッパでも微妙な力を行使するでしょう。しかしながら、いちばん大きな問題が、やはり移民の流入から始まったヨーロッパの排外主義的な動きでしょう。いまは武漢ウイルス禍で水面下に消えていますが、騒ぎが落ち着いてひと段落したあとに、ドーッと吹き出してくるでしょう。それからもうひとつ、やはり今回浮き彫りになったチャイナの影響力に対する懸念が、明確に現実のものとしてヨーロッパの人たちに自覚されるわけで、ものすごく反中意識が高まるのは確実です。

今回のパンデミックで明確になりましたが、イタリアを代表して、これまでチャイナにズブズブになっていた国があるわけです。彼らもやはり目が覚めたと思います。イタリアの中からチャイナに賠償金を求めるという、政治家の発言も出てきていますから。あんなにチャイナを頼っていたイタリアからでさえ中国共産党に対する非難が出てきているのです。

福山 最初は中国も慌ててイタリアに医師団を派遣すると表明していました。

西村 イタリアに対するプロパガンダも、二月の終わりころからやっていました。YouTubeチャンネルを使ったり、国営放送系のチャンネルで流したりして。

福山 そうすると、いま、ドイツがわりとイタリアから重症患者を引き取って、治療に当たっているじゃないですか。あれはEUをこれ以上瓦解させないようにと、ドイツがリーダーシップをとって「ヨーロッパを何とかするよ」という姿勢だったりするのでしょうね。ドイツはEUがあったほうがいいわけですから。

西村 いってみればEUはドイツ帝国です。ある意味でドイツの刈り取り場になっています。フランスはそれにいちばん頭に来ていたわけです。だからエマニュエル・トッド――人口動態や家族構造など社会の深層の動きに着目し、ソ連崩壊、リーマンショック、アラブの春、ユーロ危機、トランプ当選、英国EU離脱など数々の〝予言〟を的中させてきたフランスの歴史人口学者・家族人類学者――は、ずっとそれを批判していました。フランスの立場からでしたけど。

福山 EUのドイツ支配が強すぎるなかで、それに不満を持つヨーロッパの小さい国々が経済的に疲弊して、よくない状況にあるというところに中国が入ってきたわけですよね？

西村　イギリスはそういう状況をずっと見ていて、それで「いち抜けた」と離脱したわけです。

福山　中国はチャンスを見計らっていたということですね。「まさにいまこそ入りどきだ」と。

西村　そうです。「いま、イタリアはいける！」という感じ。チャイナはＥＵで損している国に行って、「うちがなんとかしてあげるよ」と札束で頬をポンポンです。

福山　それで、当面のターゲットはギリシャ、イタリアですよね。両国の内情を徹底的に調べ上げてから工作している。当然のことながら、指導者など要人の属人的な利害関係も押さえているでしょうね。例えば企業のトップなどを徹底的に調べ上げて、甘いものをなめさせて、そして楔(くさび)を打つという、孫子の兵法で知られるような抱き込み工作です。

経済壊滅は免れない

西村　繰り返しますが、今回の武漢ウイルス禍で、ＩＭＦが過去一〇〇年で最悪の経済危機になるというメッセージを出しましたよね。これによって、チャイナがヨーロッパで積み上げてきたものはすべて一旦リセットされてしまう気がします。

具体的に言いますと、アメリカだけでも失業保険の申請が現時点（二〇二〇年四月一〇日）で一七〇〇万人です。ということは、一七〇〇万人の失業者がいるということですから、世界大恐慌なんて今回の比ではないのです。生産現場もほとんど止まっています。トヨタ、GM、日産、ホンダの工場もいま全部止まっているのです。

ボーイングはいま、パンデミックの影響をもろに受けて倒産の危機です。少し前まで軍需産業として非常に業績がよかったわけですが、もう倒産の危機に瀕しています。新鋭機の「737MAX8」のトラブルも大きな原因だったとは思いますが。

りそな総合研究所がひとつのシミュレーションで出していますが、確かかどうかは留保して、人の移動の減少によって関東と関西で八五％、九州沖縄で七五％、それ以外の地域で七〇％の消費――四兆九〇〇〇億円が減少するという予測を出しています。恐ろしい数字です。これはいったんまっさらなところから経済を組み立てていくしかないと思います。

その底流になるのは、先ほど触れたように、ヨーロッパがこれまでの移民の流入でぎくしゃくしてきたこと、それとグローバリズムがいきすぎたことへの反省です。チャイナがその豊富な資金力でヨーロッパは勿論、アフリカやオセアニアでやりたい放題やってきたことも見直されるでしょう。先ほど福山さんがブロック経済化とおっしゃっていましたが、そういう方向もかなり出てくると思います。戦前とはその対象となる地域は違うかもしれませんが。

福山　第二次世界大戦では、戦勝国と敗戦国が生まれ、物理的にインフラストラクチャーが大量に破壊・焼却されたわけです。今回の武漢ウイルスによるダメージと違うのは、インフラの破壊・炎上はありません。だから、資本と人さえ――それに最先端のテクノロジーとかを――注ぎ込めば、経済の回復は比較的早く実現できると思います。

例えばＢＣＰ（Business Continuity Plan、事業継続計画）という考え方があります。これは、テロや災害、システム障害など危機的状況下に置かれた場合でも、重要な業務が継続できる方策を用意し、生き延びられるようにしておくための計画です。それと同じ発想で、今回のパンデミックは戦争と違い、社会資本は破壊されていない。だから隠忍自重して危機に臨めば、要するに国民をなんとか扶養しておけば、パンデミックが収束した暁には復活できる。そういう大きなポイントがあります。だから現実を冷静に見て危機を乗り越え、うまく国際協力していけば、世界・人類の未来はハッピーに戻れる可能性がある。

一方で負の要素もあります。例えば、レイシズム（人種差別）やセグリゲーション（民族、人種、社会階層間などのすみ分け）です。例えば日本人がヨーロッパで「コロナは出ていけ！」と言われたように、今回中国のやらかしたことで黄色人種が排斥される。同じようなことはイスラムによるテロが多発していたころ、アラブ人に対してもやっていました。人は自分たちが苦しくなると、弱い立場の者を排除しようとする傾向があります。だから、そういうことが負の作用で燃え盛っていくと、皆が望まない方向に行ってしまいますが、最小限に抑えて「また戦争にならないように皆でうまくやろう」というふうに国際的な話し合いをうまくやれば、復活する可能性は確実にあります。ただそこを間違えて、自国ファースト、異分子排斥というブロック化の方向に行くとマズいと思います。経済的にも国際紛争の視点からも危険な事態になる可能性がある。

戦後七五年の秩序は崩れていく

西村　戦後七五年の世界秩序を形成する基盤になっていたのは、第二次世界大戦の戦勝国がつくった連合国、United Nations（国際連合）です。その限界がもう見えているということが、今回のパンデミックがもたらした危機の遠因のひとつではあると思うのですよ。

その象徴であるのが今回チャイナ支配の著しいことが露呈したWHOです。じつはもうWHOだけでなく、人権理事会もひどいことになっています。これについては先に話したので、詳しくは触れませんが、人権理事会はトップが全部チャイニーズになったのです。世界中から人権問題が山積していると指摘されているチャイナですよ。悪い冗談としか思えません。連合国（国連）はいま、そういう状態なのです。だから、福山さんが指摘された懸念を払しょくするためには、やはり新しい国連、連合国に代わるものの模索が、いまこそ始まらないとダメだと思います。

福山　今回の武漢ウイルス禍は第三次世界大戦であると捉えるべきだと思います。第三次世界大戦が起きてしまった以上、第二次世界大戦後に生まれた不平等な国連は一旦廃止する。今回の武漢ウイルス禍においては戦勝国はない。全部敗戦国だから、国際機構をつくる際は各国がイコールでなくてはならない。その際には、のべつマイナーな国も一緒にするかどうかは別の話になるかもしれませんし、G20くらいで何かつくるかもしれませんけれども、かつて「拒否権」で引き裂かれたような国連ではなく、もっと実効性のある（例えば「多数決」で意志決定できる）、もっとイコールな国際機構を模索する動きが出てくるのではないかと期待しています。

今回の世界的危機をもたらしたのが武漢ウイルスであることを踏まえれば、WHOのあり方が問題のひとつとして浮かび上がってきます。これから保健に関する機関は非常に重要な組織になってくると思うのですが、要するにもっと実効性のある、特定の国の利益に与するようなおかしな機関ではなく、例えば、①パンデミック対策のための巨大なファンドを持ち、②国際横断的かつ国際協力的な研究機関――ワクチンでも治療薬でもすぐに国境を越えて開発できるような組織を設け、さらには③一種の軍隊的なメディカル部隊組織の創設ですね。何かあったときにはすぐに現地に飛んでいって、感染症を蔓延させないようにするスペシャルな実力組織。そういう三本立てくらいの下部組織を持つ新しい組織がＷＨＯに代わって出てくるのではないでしょうか。

そのことでいえば、パンデミック以上の確率で発生する世界的な大自然災害——大水害や巨大台風、津波や大地震など——に対処する世界的な共同救援組織が必要ではなかろうかと思います。

中国の対外政策はどうなる

福山 これまで国連で起きている問題、ＷＨＯも人権理事会もそうですが、ここ一〇年くらいは中国が一生懸命お金をかけて、人事にも介入して、国連をある程度自分たちに都合よく使えるようにやってきました。いま新しい国際機構を設立することを模索するとして、中国共産党の存在というのは世界のなかでいちばん厄介で対処が難しいわけで、それはどうでしょうか？

西村 私は自然にこれから崩壊に向かっていくのではないかと思います。

福山 どういうシナリオで崩壊に？

西村 最悪のケースだと、内乱が起きるみたいな感じでしょうか。

福山 話をＷＨＯに戻すと、こんなことも考えられませんか？　トランプが今後ＷＨＯにはもう拠金しない、ないしは減額するといっているわけですから「アメリカに代わって、中国はそのぶんすべてをまかなえるのですか」となります。そして「もし中国がまかなえるのなら、ＷＨＯは完全に中国の手下に成り下がるのだから、もうほかの国には関係ない」とＷＨＯから脱退する動きが出てくるとか。

西村　でも、国連の複数の機関はチャイナの支えを受けて活動してきたわけです。ＵＮＥＳＣＯもそうですし、人権理事会もアメリカが拠出金を負担していないので、チャイナがいちばんカネを出しています。だから基本的にはチャイナのものです。ＷＨＯもそれに近いカタチで進んでいたのが、今回世界的に明白になりました。

福山　中国としては、アメリカが手を引くのはむしろ「めでたし、めでたし」で、ＷＨＯなどを支配下に入れることは米中覇権争いの大きなツールだと思って、喜ぶと思います。アメリカが手を引くのだったらすべて引いて中国にお任せくださいという感じでしょう。

西村　どう考えても、チャイナとロシアがこの世にあるかぎり、世界平和なんかあり得ないと思うのですが（笑）。先に触れたイタリアにロシア軍が入った話も火事場泥棒みたいな（笑）。この期に及んで明確に火事場泥棒的なことをやろうとしました。それがこのあとどうなるのかなと思います。ロシアはほんとうに「パンデミックを機に布石を置いておこう」みたいな感じで動いているのでしょうね。チャイナも焦りなのかはわかりませんが、とにかくコロナ禍を奇貨として何かやっておかないといけないと考えていることでしょう。考えていないのは日本だけです。

福山　ほんとうに狂っているのではないかというぐらい、国益追求に関するしつこさはありますね。アメリカはいま、感染拡大が燃えさかっていますが、一方では先ほど申し上げたように、原子力潜水艦に小型核ミサイルを搭載させて、配備すると断言したわけです。それから台湾に対する後押しもするし、さらに中国海軍の東方進出については、海洋圧迫戦略に基づいて対処することにする。それは議会承認のなかで要請すると表明しているわけです。これからアメリカは中国を締め上げていくということですよ。中国がそれで黙っておくはずがありません。「おっ、やってきたな」「これから戦だ」と思っているでしょう。人類の悪癖ということなのかもしれませんが、この世に人がいるかぎり、諍（いさか）いはなくなりません。

西村　今回のパンデミックがあって世界が学ぶべきことは……いままで米中間で展開していたのはただの経済戦争ではなく、第三次世界大戦の端緒は確実に切られていたということです。また、そうでなければ、この危機に対処することはできないでしょう。これまでの延長線上で、今回、中国共産党の深く広い工作が表面化しました。とくに武漢ウイルス・パンデミックが、今回福山さんとの話で示唆してきたように人工的なものでなくても意図的なものだったことが確定したら、見えない第三次世界大戦は可視化していくことでしょう。

福山　福島香織さんが書かれていますが、中国のなかにはふたつの大きな〝マグマ〟があって、ひとつは民衆の不満、怒り。もうひとつは党内における派閥争い、権力闘争。このふたつが作用して国内が荒れてくると、習近平が国民の目をそらすため、狡賢く国外で諍いを起こす。それによって、国内での争いをすべてチャラにすると。そういうことがあると我々も他人事で済まなくなります。尖閣諸島に手を出すのは有力な選択肢ですから。すでに南シナ海の手つかずのところに、中国が特殊な飛行機で調査をした（二〇二〇年四月七日）とか、南シナ海の島に新たな行政区設置を発表した（同四月一八日）という話があります。いままでの手法と同じように埋め立てて軍事基地をつくり、ミサイルを配備して……南シナ海の支配の強化に余念がないわけです。

西村　チャイナの南シナ海侵出は一〇年前からですから。

世界経済は持ちこたえられるのか

福山　繰り返しになりますが、第二次世界大戦のときははっきり戦勝国と敗戦国に分かれました。そして戦勝国のひとつであるアメリカが復興の大きな牽引役になり、力を発揮してくれました。今回の武漢ウイルス禍ではすべての国が敗戦国で、牽引役がいません。どうやって復興していくのか？　プラス要素としてはインフラが破壊されていないこと、工場などの生産拠点はすぐに動かせるということがあります。その一方でどの国も大きな爆弾、即ち莫大な借金を抱えることになります。その借金をチャラにするような世界協定というか、ＩＭＦのような機関がうまい手を考えないといけないでしょうね。

西村　アフター・コロナでは、それが最も恐るべき事態です。

福山　どうなりますか？　世界の債務を一瞬にして帳消しにできるのでしょうか？

西村　帳消しにするもっとも危ないケースは、世界戦争じゃないですか？

福山　一瞬にして帳消しにしたら、世界戦争が避けられないくらいの深刻な利害対立が起きるでしょうか？

西村　そのことについては闇だらけで予測がつきませんが、日本の場合は赤字国債を日本国内で引き受けているので、基本的に我々国民が先々に取ろうと思っているもの、つまり日本国民が債権者になるわけです。つまり政府の借金を国民が差し出したことと同じなので、大きな問題はないはずです。ただ国際的にほかの国は国債のほぼすべてを外資に買ってもらい、それを持ち合っています。だから金融的に大丈夫なのは日本だけなのです。

福山　そうすると結局、デフォルト（債務不履行）が起きて、信用不安が連続することになりますよね？　アルゼンチンはすでに八回もデフォルトしていますし、最近（二〇二〇年三月）レバノンもしました。そこに来て、武漢ウイルス禍で各国がさらに借金しようとしています。でも、できない国も出てくると思います。できないところはＩＭＦに助けを求めるのでしょうか？

西村　韓国がいまそうです。すぐにデフォルトしてもおかしくない状況になっています。

福山　世界経済にとってそれが最難問ではないですか？　ジャブジャブと経済対策にお金を投入せねばならない状況になっています。日本だけで一〇八兆円ですよ。アメリカは二二〇兆円くらい。その二二〇兆円の出し手は国民ですか？

西村　アメリカの長期国債に関しては、日本が買ったりしています。中国も買っていて、保有高はつい最近まで一位でしたが、米中貿易戦争の影響を受けてその座を日本に譲っています。

福山　それをチャラにするっていったら、どうなりますか？

西村　国債だから、チャラにしてくれみたいな。あり得るのかな？　その場合は、日本が憲法改正がまだ間に合わないので第七艦隊をそのまま日本がレンタルし、米国の核を日本がシェアするというようなことも考えられますね。ただ、今回のパンデミックについてはチャイナが初期対応を誤った、情報隠蔽をした等でアメリカ国内では損害賠償訴訟が起き始めています。チャイナが賠償金を払うわけはありませんから、国債の償還をせずにアメリカが没収するという話もあります。これはある意味で実質的なチャラです。

福山　私みたいな経済のわからない人間が「債務の罠」について気になっているくらいです。今回の経済対策は人類史上最大のものになりますよね？　人類史上最大の借金です。となると、ありとあらゆるものをリセットしないといけないと思います。でも現実にはリセットすることはできないのではないでしょうか？

西村　いま現実に起きているのは、発展途上国向けに武漢ウイルス禍対策のための融資をする基金を、ＩＭＦでつくるという動きです。そこに日本も出資するようです。麻生財務相が表明していました。ＩＭＦが最も取り立てが厳しいから、ＩＭＦを通して貸すのが賢いそうです。

福山　いずれにしろ、経済対策に伴う債務問題を抜本的に解決して「みんな一緒に頑張ろう。再生のためにスタートしよう」というリセットをしなければなりません。過去でいうと大きな国際会議、ブレトンウッズ会議——一九四四年、連合国四四ヶ国が米国ブレトンウッズで会議を開き、第二次大戦後の新たな国際経済システムに関する協定を結んだ。ＩＭＦと世界銀行の創設が柱で、ＩＭＦ加盟国には緊急時の借り入れができる引き出し権が与えられ、為替は固定相場制が基本になった——でやったような国際的な大仕掛けの経済対策が必要です。

西村　そういう経済新体制構築を信用のおける相手としましょうとなる可能性もあります。要は信頼できない国、つまりチャイナとはできませんという可能性もある。

福山　逆にいえば、それが戦略としては中国を潰す最善の道かもしれません。

復興への道筋はG7がつけ、台湾を重用する

西村　復興への現実的な道を考えると、結局G7（日本、アメリカ、イギリス、フランス、ドイツ、イタリア、カナダ）の結束しかないような気がします。

福山　日米がヨーロッパとカナダを抱き込んで、よし、頑張ろうと。

　そして何もかもリセットするうえで、中国も一緒にやるのがいいのか？　私は中国を切り離してG7でやらないと、また中国が台頭して蝕んでいくような気がします。

西村　チャイナ抜きでないと世界的な経済復興は無理ですよ。

福山　経済復興第一ラウンドは、G7のなかで自然な話し合いで始まると思います。そうしたら必ず中国がそのなかに入れてくれといってきます。そのときに条件をつけるのです。「俺達は武漢ウイルスでひどい目に遭った。今度は情報公開して透明性を高めよ。他国の知的財産を盗むな……」などなどの縛りをつけて参加を認める。中国に対する拒否権のような仕組みをつくって、対峙したほうがいいと思います。

　いずれにしても国際的に大きな話し合いをしないといけませんが、今回は状況をよく見据えて、G7が協調してロシアと中国を埋没させるような仕掛けをつくるべきです。野放しにしたら、ま

た絡めとられます。

西村　それで台湾との関係がどんどん強化されて、先に福山さんが触れていたトランプが署名した法案にしても、偶然だという話もありますが、それを見越していると思います。

福山　私は修羅場になればなるほど地球全体が団結をして、エイリアン（武漢ウイルス）に立ち向かうと思いましたが、とんでもないですね。要するに国によって意図が、考えていることが全然違うのですね。だから我々もかなりドライかつリアリスティックに考えないといけない。

西村　ほんとうにそうです。だってフランスに対して、中国共産党がフランスにマスクを五〇〇万枚渡すと提案したのですが、その代わり、ファーウェイを導入しろと。習近平がそう言っているのですよ、ほんとうに（笑）。

福山　すごい、華僑魂じゃないけど。油断も隙もないですね。火事場泥棒。見事なものです。

新しい世界機構はどんなものになるか

福山　先ほどG7の枠組みで世界機構を組み直すにしても、中国を入れるときに条件をつけるとするじゃないですか。それに対して中国が黙っているとはとても思えないのですが。

西村　それについては一種の時間稼ぎで、チャイナについては内部崩壊を促すしかないと思います。結局それが諸悪の根源である中国共産党の崩壊ということになりますから。

福山　しかしながら、日本も含めて中国と仲良くしないと困る人たちが、各国に一定数います。ドイツもここまで中国でさんざん車を売ってきました。中国のおかげで儲かっていたわけです。それぞれの国のなかで中国を巡る勢力争いみたいなものはありますよね？

西村　だからこそ、いまの状況が重要です。そういう構造を破壊しなければいけません。

福山　国連でもそうですが、人間がつくるものというのは、どうしても理想とは甚だしく違う、歪（いびつ）なものしかできないということです。だから恐らく経済的な合意ができて、「さあ、始めよう」となっても、蓋を開けてみるとかなり歪な内容になっていて対立する可能性が高い。気をつけないといけないのは、そこで日本が変なものを背負わされないようにすることです。現下の外務官僚では心もとない。

西村　いずれにしても連合国（国連）の集団安全保障体制は、もうダメになることです。それで新しくガラガラポンで国際安全保障体制をつくり直すとは、それがどんな歪なものであろうが、もうつくり直さないと世界秩序が成り立たないということです。

福山　国連の根本的な欠陥は、戦勝国が自分たちの得手勝手に動けるようにしたことにあります。原爆・水爆の開発もそうですし、中東やアフリカ大陸の国境設定もすべて戦勝国が仕切った世界です。それをチャラにしてガラガラポンしても、発言力の強くない国は「いや、そこはイコールにしてくれよ」と言わざるを得ませんが、強い国が軽々に「そうか。わかった」とは言わないでしょうね（笑）。だから、非常に紆余曲折のある交渉になって、非常に歪な国際機構ができるでしょう。残念ですが。外交交渉が苦手な日本はほとんど期待できないでしょう。

韓国はどうなる？

福山　アジアはどうなると見立てておられますか？　とくに韓国はこれからどうなりそうですか？

西村　結論から先にいうと、いまの流れだと北京のなかに収斂していかざるを得ないと思います。

福山　先ほど西村さんがおっしゃったように、デフォルトという可能性も当然出てくるわけですよね？

西村　北朝鮮と同じような状況に陥るでしょう。

福山　北京に収斂していくということは、場合によっては朝鮮半島統一みたいな話にもなりますか？

西村　そうですね。というのも、いまの文在寅大統領は、そもそも北朝鮮主導で行う半島統一が目的で大統領になったような人ですし、総選挙も革新系与党「共に民主党」が圧勝しましたから。

福山　ただ私は北京に収斂していくとしても、半島統一はないと思っています。理由はのちほど述べるとして、まず韓国の総選挙についてです。私はＪＢプレスで〈韓国の総選挙は、「米韓相互防衛条約の維持」か、新たに「中韓同盟を締結」するか、という「体制選択」の重大な岐路になる可能性がある。その結果次第では、韓国民は哀れな末路を辿ることになるかもしれない。そのことは韓国民が重々承知しているはずで、来る総選挙で民意が示されることだろう。〉〈（与党勝利の）暁には、文在寅氏が目指す親北朝鮮・親中国政策の究極の「形」として、朝鮮戦争以降、今日の韓国の平和と繁栄をもたらした米韓相互防衛条約体制を破棄する可能性もなしとはしないのではないか。〉と記しました。

米韓同盟が破綻したらどうなるか。悪夢としかいいようがありませんが、次の七つが想定されます。

①中国の支配下に入り冊封の時代に逆戻りする
②一民族二制度の採用
③政治力・軍事力は北朝鮮が優位——究極的には金王朝による南北統一
④経済は「金王朝による韓国の富の搾取」の構図
⑤個人の自由・人権の剥奪

⑥親米・親日派の徹底弾圧・財産剝奪・北朝鮮流の身分制度の誕生
⑦反日は南北共通の内政・外交上の〝特効薬〟

要するに韓国は行くも退くも地獄です。文政権が〝ルビコン河〟を渡ってしまったら、中国の立場からしたら絶対合体させません。分離して韓国と北朝鮮をけんかさせる。そうして忠誠競争を両方にさせるということですよ。

朝鮮戦争を通じて血で固められた中国と北朝鮮の友好のことを「血の友誼（ゆうぎ）」と呼びますが、その文脈では、韓国民は全員、憎い米帝と組んだ裏切り者の末裔（まつえい）であり、中国との関係では新参者というのが暗黙の了解でしょう。

西村　経済については、北朝鮮という破綻国家からむしり取られるばかりです。だから、そんなことを総選挙で韓国国民が選択したのは摩訶不思議、奇怪です。しかし、それがあの国の真実です。『21世紀の「脱亜論」』（祥伝社新書）でも『韓国のトリセツ』（小社刊）でもそう書きました。

福山　選挙前に戻れるなら、韓国民にお前たちはわかっているのか？　と言いたいですね。浮かれて、武漢ウイルスを沈静化させたから文在寅は良いとか、そんな話じゃないのだよと。お前たちが地獄を見るかどうかの瀬戸際の話なのだよと。

西村　韓国は言論界に北朝鮮の工作員が日本以上に入っています。

福山　北には南に浸透する組織がたくさんあって、北朝鮮建国のときからずっと南への浸透工作をやっていましたが、「反共法」などの防共システムが機能して、北にとっては手で石を砕くより難しかったわけです。しかし、あるところからガラガラッと局面が変わりました。盧泰愚（ノテウ）が大統領を降りて、文民大統領の金泳三（キムヨンサム）時代からです。

西村　金泳三は軍に相当メスを入れています。

福山　文在寅も軍と司法さえ制圧してしまえば、あとは北の言いなりの世界になります。

西村　米韓関係に関して、まずトランプ政権がハリー・ハリスさんを駐韓アメリカ大使に指名したということは大きな意味がありました。その前一年間はアメリカ大使が不在だったわけです。要はそれだけアメリカは韓国に手をこまねいていたわけです。それで太平洋軍司令官だったハリスさんをわざわざ送り込んだ。そこで情報収集も含めて韓国に睨（にら）みを利かせるという意味もあったわけです。

ところが、韓国ではハリスさん就任に対してものすごい世論の反発があり、とくにメディアがハリスさんが髭（ひげ）を生やしたことを、日帝時代の日本人を思い出すと平気で煽りました。実際、神奈川・横須賀生まれの彼は日系人です。あと、この四月二日に釜山の日本総領事館に侵入して騒いだ連中。北朝鮮シンパの過激派の大学生でしたが、逮捕して裁判はしたものの「罰金の宣告猶予」という実質無罪の大甘判決を下しました。韓国は相変わらずそういうことをやっているわけです。だから、アメリカとしては「米韓同盟の維持」というのは表向きずっといっているだけで、かなり以前から朝鮮半島撤退は視野に入れていると思いますよ。そうでなかったら、在韓アメリカ軍司令部をソウルから南に六〇㎞の平沢へは移転しなかったはずです。

私は在韓アメリカ軍がそのまま台湾に行くのではないかと思います。台湾のアメリカ大使館に相当する、新しく出来たアメリカ事務所は約二〇〇〇坪の敷地があり、すでに海兵隊が警備しています。

福山　海兵隊によるアメリカ公館の警備は全世界でやっていますよ。

西村　いや、台湾でやっているのですよ。

福山　台湾のアメリカ事務所は準大使館で大使館と同じ扱いですから。

西村　台湾で同じ扱いをし始めたことに注目です。あの広大な敷地などはアメリカ軍が駐屯していてもおかしくないわけです。アメリカはそういうことも考えているとしか思えないのです。

福山　米韓同盟を破棄して、在韓アメリカ軍を撤退させれば、韓国民は地獄ですよ。それを免れる唯一の逆転策は韓国軍によるクーデターでしょう。韓国の今日の富と民主主義をもたらしたのは、皮肉にも朴正熙（パクチョンヒ）陸軍少将（当時）と全斗煥（チョンドファン）陸軍少将（当時）が軍事クーデターで強力な親日・親米政権を確立したからです。韓国軍人のなかに「我々がいま起たなければ、この国は北朝鮮と中国の傀儡国家になる」という危機感を持つ将校が現れるかもしれません。勿論、韓国軍の動向は、韓国のＫＣＩＡ（ＫＣＩＡ）と米国のＣＩＡやＤＩＡ（国防情報局）はもとより、中国の情報機関（中国共産党中央統一戦線工作部、国家安全部、中国人民解放軍総参謀部第二部）と北朝鮮の情報機関（朝鮮人民軍偵察総局と朝鮮労働党統一戦線部）が密かに監視しているはずです。韓国軍のクーデターの陰謀が発覚すれば、すぐに文大統領に内通し、阻止するでしょう。もっとも韓国軍や情報機関は文大統領により骨抜きになった感がありますから、韓国軍によるクーデターはあまり期待できないかもしれませんね。

もうひとつ、アメリカ側から見れば、中国と覇権争いをするうえで、自ら朝鮮半島を撤退するなんてことは愚策でしかありません。というのも囲碁と同じように、布石（在韓アメリカ軍）を置いていることは大きな意味があります。北朝鮮のミサイルが在韓アメリカ軍に届こうと届くまいと、自らの意志で韓国を放棄し在韓アメリカ軍を撤退することはあり得ない。アメリカは口ではいろいろ言っておりますが、現実の話をすると韓国には何としても同盟を維持してもらわないと困る。アメリカは、韓国はクソうるさい、ウチの大使に因縁つけるどうしようもないやつだと思いながらも、そこはじっと我慢で在韓アメリカ軍を維持せざるを得ない。軍の規模は縮小するかもしれませんが、そういう関係にあると思います。

ただ国際関係というものには一種のハプニングがありますからプツッと切れたときは、米韓同盟が破棄される恐れもあります。在韓アメリカ軍が撤退すれば、日本はユーラシア大陸正面に朝鮮半島というバッファーゾーンを失うことになります。日米同盟を基軸とする日本は、文字通り〝最前線〟に立たされることになります。憲法第九条の下にあるいまの日本にその気概があるかどうか、心もとないかぎりです。

韓国は朝鮮戦争以降在韓アメリカ軍を受け入れたように、米韓同盟破棄後は在韓中国軍を受け入れるかもしれません。そうなれば、日本は、従来からの北海道に迫るロシア軍の脅威と南西諸島伝いに北上する中国軍の脅威に加えて、朝鮮半島の在韓中国軍に対し三正面に対処せざるを得ません。まさに最悪の状況です。

西村　そんな状況だからこそ、今回の武漢ウイルス・パンデミックが起きたのではないですか。韓国政府はいま、韓国がウイルスを制圧したとヒロイックに喜んでいます。その一方で経済は壊滅寸前です。GDPをあそこまで大きく輸出に依存していて、国内の需要はさほど期待できないわけですから。内需がなくて、韓国経済を引っ張ってきた企業が全部輸出依存じゃないですか。建設から何からすべて。そうすると武漢ウイルス禍で世界経済の停滞があって、苦境がさらに押し寄せてきたという現実があります。ここで最悪なのは一一〇年前と同じことが起きるケースです。

福山　一九一〇年の日韓併合ですね。今回、日本は絶対に韓国に関わってはいけないと思います。

西村　そういうこともアメリカは考えているかもしれません。破綻した韓国経済の面倒を見させようと。冗談じゃない話です。

福山　幸いなことに、ここまで文大統領がいろいろ反日を積み重ねてきてくれたおかげで、日本国内世論も軽々に韓国には譲歩しなくなっています。もし一〇年前に「韓国に手を差しのべてやってくれよ」とアメリカに言われたら、たぶんやっていたのでしょうけど。

西村　とくに作られた韓流ブームに湧いた一五年くらい前は危険でした。

福山　いま、そんなことをちょっとでもほのめかす政治家がいたら、世論が「バカかお前は」となるじゃないですか。

西村　あと、アメリカ軍基地の韓国人従業員に対しての給料が四月から支払われていません。これも大きな問題ですよ。

福山　それも選挙のためだったと思います。そうやって「アメリカが悪い。コノヤロー」と煽ると左翼の「共に民主党」には効果的です。韓国で反日反米は選挙の投票数につながりますから。

おあつらえ向きでしたね。

西村　反日反米の話を出されると、韓国民の多くは思考停止になっちゃいます。

福山　ところで韓国が経済的にすってんてんになるという話に戻ります。すってんてんになったときの動きを掘り下げていくと、韓国は「これまでの日米韓関係を維持するために、経済面の面倒を見てくれ」という話を日本とアメリカにするでしょう。そのとき、中国がもう一方の手で「心配するな。俺が何とかしてやる。カネはある」ということを平気で言い出すかもしれません。そのときに、韓国の直情的な世論や中国と北朝鮮に対して尻尾を振る文大統領だと、どう振る舞うか？　恐らく中国に阿るでしょう。そのことがパワー・バランスや国際情勢に跳ねかえってくるわけですから、常に注目すべきだと思います。

西村　私はいままで専門家も想定していなかったことを想定すべきだと思います。もう朝鮮半島は統一朝鮮、即ち高麗連邦国家になって北京の圏内にいくということです。それを前提として、どういう安全保障体制を構築すべきかを考えておかないとマズいと思います。

福山　今度の選挙で文在寅の与党「共に民主党」というのが勝ったので、次なる大統領選挙においても、左派有利となります。親北派がいろいろ工作して、地方から都市部まで、そして軍から民まですべて手なずけてしまい、そのうえで選挙直前に反日や反米でさらに世論をワーッと燃え上がらせる工作をするわけです。

西村　今回の総選挙でも反日活動で捕まった人間がたくさん立候補しましたし、当選した反日派もいます。元韓国挺身隊問題対策協議会（挺対協）代表の尹美香（ユンミヒャン）氏が代表例でしょう。あと、いまのソウル市長、朴元淳（パクウォンスン）氏もひどい。彼は日本人の反日活動家と結びついて、日本国内でのインターネット上の言論統制に関わっている可能性もあると言われています。フェイスブックやツイッターでの、例えば慰安婦に関しての記述で、日本人の立場で書いたものをすべてヘイト・スピーチだと通報して、削除させる。確固とした裏付けは取れないのですが、そういう活動をしている秘密の組織をつくっているのが、いまのソウル市長だという情報が入ってきます。

北朝鮮はどうなる？

福山　一方で北朝鮮は比較的静かですが、国内はマズいことになっているようです。

西村　諸説紛々で、先日、重体説が流れ、世界中が注目するなかで登場しましたが、金正恩はもう死んでいるという話もあります。あの映像も本人とは思えません。今回の武漢ウイルス禍が北朝鮮に及ぼしている影響はどんなものなのでしょうか？　いまは一生懸命ミサイルを撃っていますが。

福山　やはり食糧難に加えて武漢ウイルスで青息吐息でしょう。先に金委員長にとって濃厚接触が最大の脅威と申し上げたように、ドローン攻撃は防げても感染症で死ぬかもしれません。北朝鮮の地下要塞という非常に劣悪な密閉空間は、感染症に関しては脆弱です。妹の金与正氏に「いざというときにはお前に」という、遺言じゃないけれども、申し送りをしているのではないかと思います。そうでないと金王朝は存続できません。要するに血統の王国ですから。

西村　実際、与正氏は発言が増えたといわれています。私は以前から与正氏が正恩氏を操っているのではと思っています。

福山　北朝鮮は三月二日午後〇時半すぎ、短距離弾道ミサイルと推定される二発の飛翔体を日本海に向けて発射しました。韓国大統領府はその直後に北朝鮮に対する憂慮を表明しています。これに対して、与正氏が朝鮮中央通信を通じ、短距離ミサイル発射は「自衛的行動だ」とする談話を公表しました。北朝鮮が金与正氏名義の談話を出すのは初めてだといいます。この際、韓国大統領府に対して「よその軍事訓練に口出しするとは居直りの極致だ」「低能な考えで驚愕する」「『生意気』で『愚か』」「行動が三歳児並みだ」などと激越な言葉で罵倒しています。兄の金委員長の前で楚々と振る舞う与正氏からは想像もできない、魔女と見まがうような悪罵の数々です。これについて、ＡＦＰ＝時事では「与正氏が直接的で、政治的に重要性の高い声明を出したことは、同国の政治的な序列において与正氏が中心的役割を果たしていることを浮き彫りにしている」と報じています。今後、与正氏の言動からは目が離せないですね。

一方、短距離とはいえ、金委員長の指揮の下でミサイルを発射したことへの読み解きのひとつは、アメリカに発した「援助物資をください」というシグナルだと私流には読み解いています。もうひとつは、イランのソレイマニ司令官がドローンで暗殺されましたが、それに関するシグナルという見立てです。ソレイマニは最高司令官ではなく、ましてや元首でもない。イスラム革命防衛隊の特殊部隊の司令官ですから、その報復を大きな規模でやったら、アメリカは徹底的にやり返します。イランにとってはひとりの司令官が暗殺されたことへの報復に、国運を懸ける価値がないというもので、報復はアメリカ軍の駐留する（イラクの）アサド空軍基地に数十発のミサイルを撃ち込んだだけで終わりました。しかも事前に「攻撃しますよ」とアメリカに伝えたらしい。この報復は完全にイラン国内向けのパフォーマンスです。

それで北朝鮮は「俺のところはイランとは本気度が違うよ」というシグナルとして短距離弾道ミサイルを撃ったと私はみています。我々が本気で攻撃すれば、在来の兵器（大砲や多連装ロケット）でさえもソウルを火の海にできるぞ！　と。在韓アメリカ軍司令部も火の海になるぞ！と。加えて今回発射した射程距離四〇〇㎞ぐらいの弾道ミサイルが配備されるようになれば、すべての在韓アメリカ軍にも火の粉が降りかかるようになります。先ほど西村さんがおっしゃったように、アメリカ軍は司令部をソウルから約六〇km南の平沢まで下げています。これは北朝鮮の在来兵器の攻撃をさけるためです。在韓アメリカ軍は、北朝鮮が軍事境界線を越えて攻めてきたら、罠線（トリップ・ワイヤー）に引っかかって、自動的に参戦するような仕組み（配備）をつくっていました。

今回司令部の移転に伴って、それをドーッと南に下げています。しかし今回北朝鮮が発射した弾道ミサイルが配備されれば、南下したアメリカ軍部隊も十分射程内になります。金正恩いわく「ノドンとかテポドン、スカッドとかよりずっと威力のあるミサイルをつくったよ。だからアメリカさん、前線から南に下がりましたけれど、さらにもう一度グーッと下がって本国に帰ってくださいな」。こういうシグナルを出しているのではないかと私は思うのです。

西村　北朝鮮はアメリカ本土まで届くとされる、火星一四号という大陸間弾道弾もつくっているわけです。弾頭の小型化もある程度進んでいるでしょうから、アメリカにはそれを迎撃する能力はあるでしょうが、やはり怖いですよね。

福山　金委員長は短距離弾道ミサイルを撃って「ジャカスカ撃ち込めるよ」「俺はイランとは違ってやるときは本気だよ」「やられたら全面報復で、お前たちは火の海だぞ」というシグナルを出しているということだと思いますが、煮ても焼いても食えない連中ですね。ほんとうに恐ろしいですよ。日本に対してはいわゆるスリーパー・セル（潜伏工作員）が厄介です。不法に入国した工作員は勿論、韓国や中国経由で合法的に入国している連中がいっぱいいるわけです。彼らは何をしでかすかわかりません。自衛隊が何万人いようと、そういう工作員が本格的に動き回ったら、手がつけられないです。ほんとうにそういう事態が起きたときは、今回の武漢ウイルス禍の比ではないです。日本中で火の手が上がると思います。

西村　私の知っている元『日本経済新聞』の記者の方が二年間、北朝鮮に拘束されていました。もう二〇年前の話ですが……。彼はそれまで何回か北朝鮮に旅行で訪れていたのですが、日本の公安調査庁から頼まれて、北の情報を提供していたりしていたそうです。それで、拘束されたときの北の取調官がそのことを詳細に知っていたそうです。「お前、公安にこういうふうに言っただろ」と、自分が言ったことをそっくり聞かされたということです。

福山　公安調査庁のなかに潜入工作員がいると。

西村　そういうことです。それともうひとつビックリしたのは、その取調官に「お前のことは今夜、日本のマスコミで放送されるから、もしかしたら状況が変わるかもしれない。だから拘束状態がどうなるかわからない」と言われたら、その日の夜にＴＢＳがまさにやっているのです。Ｔ

BSが死刑判決を受けたと報道した。それは北朝鮮とTBSの金平茂紀氏が特別な関係があるからだ、とその元日経記者の方は言っていました。故筑紫哲也氏もそうだったという客観的なエビデンスになるかもしれません。

福山　そういう意味においては、マスメディアはどこかの国の紐付きスパイだらけの可能性もあるなと思います。

西村　話が飛んでしまいますが、ここのところ楽しみにしていることがあります。ソ連が崩壊したあと、「ミトロヒン文書」というKGBの秘密文書が出てきました。これは日本では翻訳されていませんが、面白いことがたくさん書いてあります。例えば日本に対してどういう工作を行っていたのかが書いてあって、全部コードネームで記されているのですが、KGBのエージェントが各メディアにいたのです。それがきちんと書かれている。だから私が楽しみにしているのは、中国共産党が崩壊したあと、そういう秘密文書が出てきたら面白いなと思って。どれだけ北京のエージェントが日本のメディアや財界、政界にいるかということがわかったらいいと思っているのです。

台湾とどう付き合うべきか

西村　台湾についてですが、私は彼らとはもっと関係を深めていくしかないと思います。こんな動きもあります。河野防衛大臣は四月に太平洋島嶼(とうしょ)国のパプアニューギニア、フィジー、トンガの国防大臣に米・豪・英・仏などの国防大臣を東京に招き、「日・太平洋島嶼国国防大臣会合」を初開催する予定でした。武漢ウイルスで中止になりましたが、四月二九日には、米インド太平洋軍の空軍主催でテレビ会議があり、そこに台湾も参加したのです。米国と日本のほか、台湾、オーストラリア、バングラデシュ、ブルネイ、カナダ、チリ、フランス、インドネシア、マレーシア、モンゴル、ネパール、ニュージーランド、フィリピン、韓国、シンガポール、スリランカ、タイそれぞれの空軍が参加しています。これは、新しい世界秩序を睨んだ流れでしょう。

福山　私は国が生き残るためには、複眼的に三つも四つも代替案を持っていないといけないと思っています。だから台湾は〝毒〟にも〝薬〟にもなると考えています。要するに、台湾が日本にとってどうなるかは、アメリカと中国の覇権争いの展開次第です。アメリカが絶対に勝つ。トランプ以降の大統領もずっと台湾を支え続けるというのなら、台湾と関係を深めるのは大きな選択肢でしょう。それでも諸刃の剣だと思います。我々が台湾と深い関係になっていたら、中国が台湾に侵攻する際、日本は自動的に台湾と心中しないといけなくなるかもしれません。そのときにアメリカが全面的に台湾と日本をサポートしてくれればいいのですが。要はアメリカの東アジア政策の動きによって、情勢はガラガラと変わってしまうのです。だから非常にずるいやり方としては、台湾とはつかず離れずしかないのではないかと思っています。台湾はいろんな手で、もう藁をもつかむ気持ちで日本に接近してきています。

西村　生き残ることはいちばん大切ですからね。

福山　いまのアメリカのスタンスでいけば、第一列島線が連なっていて、有事の際はアメリカが出てきてなんとかしてくれるという体制だったら、それはもう我々も大いに台湾に肩入れすべきです。そもそも台湾軍をつくるとき、相当な数の旧軍の人が、台湾軍強化のために助言したり、直接教育・訓練に参加したりしています。将校教育もやるし、作戦計画も一緒につくるし、全部日本軍のやり方を注入したわけです。たぶんベトナムもそうだったと思いますし、インドネシアでも独立にかなり貢献していますよ。だからそういう点では、我々には親近感もあるし、非常に居心地がいいのです。しかも自衛隊からも防衛駐在官に準ずる者が、台湾にある準日本大使館に派遣されています。台湾の駐在防衛官には北京で防衛駐在官として勤務した陸上自衛官を赴任させるようにしています。

いずれにせよ重要なのは、アメリカがどうするかです。パンダ・ハガーがアメリカ議会や政府で力を持っていた時代、台湾に関して何かあったとき、中国共産党に「お前たちは一国二制度を否定するな」と非難されたら、言いなりでした。そういうふうにアメリカが態度を変えると、その影響は大きすぎます。

西村 ただ、どうでしょうか？　そういう懸念はわかりますが、もう今回の武漢ウイルス禍でアメリカもチャイナとは一線を画するのでないですか？　議会では共和党よりもむしろ民主党のほうがチャイナに厳しいです。もうパンダ・ハガーはアメリカで駆逐されるのではないですか？

福山 いや、私が西村さんと違うのは、アメリカも信用できないという点です。

西村 いや、信用するかしないかではなくて……。

福山 よく考えてみると、アメリカはいままで凋落(ちょうらく)していたのです。それでトランプ大統領が登場してから不思議なことに、私は経済音痴なのでどういう経済政策かわかりませんが、トランプノミクスで株価が上がり、アメリカが元気になりました。それで国防予算も注ぎ込んで、米中貿易戦争も優位に進めていますが、引き続きアメリカがアクセルを踏んで中国を打ち負かしていけるかがポイントです。今回の武漢ウイルス禍がアメリカと中国それぞれにどの程度のダメージを与えるか、そしてそれに対する両国のリカバーはどうなるのかわかりません。

西村　確かにわからないですね。

福山　単純明快なのは台湾と我々で組んで東アジアの安全保障に臨むことです。これは軍人としていちばんすっきりシンプルです。私だって台湾の連中と「よし、中国と対決しよう」といって、酒でも飲んでみたいです。だけど、我が国が生き残るためには、そういう情にほだされることではいけないと思うのです。私は中国に対しても、我が国の最後の生き残りの賭けをしておかないといけないと思います。外国はどこも信用できません。だけど、我々は常にいろんな選択肢を考えて時代を渡っていかないといけません。そして何としても日本は生き残る。

自衛隊ＯＢの後輩たちが「とにかく、台湾とくっ付け」と口角泡を飛ばしていますが、私はこいつらみたいな単純なバカがよく将軍になったなと思っているのですよ。

西村　（笑）。

福山　いや、ほんとです。それほど軍人はシンプル、単純です。だけど国際情勢をいろいろ読んで思うのは、世の中そんなに単純にはいかないということです。でも私は外務省のチャイナ・スクールみたいな、中国が好きという人間ではありません。私は、これまで一般企業から中国訪問を打診されたり、大手新聞社から中国での講演を依頼されたりしましたが、すべて断りました。私が台湾に行っても、中国に行っても、それはウェルカムしてくれるでしょう。だけど、そのあとが大変です。

西村　でも、今回の武漢ウイルス禍で米中がどうなるかは別として、割と日本が福山さんのおっしゃるようなヘッジをするとしても、ある程度表面上はアメリカにつくかチャイナにつくかは鮮明にしなければなりません。

福山　おっしゃるように、いままでは宙ぶらりんでよかったのですが、私ももうかなり九対一でアメリカと手を結ぶべきだと考えています。その意味においては、我々もいよいよ台湾ともがっちりスクラムを組んで、アメリカと三人四脚でやっていくべきだという方向に傾いています。ただアメリカもずるいのは、例えば海洋圧迫戦略を採用したとはまだ言っていないのです。だけど、前線の司令官は「それを要求する」と言っているわけですから。政府と軍はダブルスタンダードですよ。

西村　事実上採用しているようなものですね。

福山　事実上採用しているけど、それをアメリカの国務省や国防総省がアナウンスしようものなら、中国はいきり立ちますよ。対する我々も西村さんがおっしゃるように、国運を賭して台湾とスクラムを組むことになるかもしれない。そうでない場合も、台湾軍と自衛隊が水面下でコミュニケーションを取りながら、場合によってはアメリカに対して中国封じ込め政策を提案するくらいにやっていくべきかもしれません。
だけど、そこは非常に賢く、立ち回る必要があると思います。今度の武漢ウイルスのダメージで米中覇権争いがどういうふうになっていくかを見極めるべきです。

西村　ただ、今回の武漢ウイルス禍では安倍政権もわりとチャイナにはどっちつかずのスタンスに見えました。「春節でお待ちしています」みたいなことを、習近平に言ったとか批判されていますけど、やはり安倍政権はチャイナにヘッジしていますよね？　当然、経済的なところで財界からも何か言われているのでしょうが、そのチャイナへのスタンスは、いいのですか？

福山　安倍総理はプーチン大統領にも色目を使っていますよね。私はそれが賢明じゃなかろうかと思います。そしてそのヘッジが、NSCなり外務省に諸葛孔明のように賢い人がいて、きちんと諸々理解してなされているのだったら、非常に素晴らしいことです。ただ「鎧(よろい)の下にはちゃんとしたものを持っておけよ」とも言いたい。アメリカとも対ロシア関係については十分に話し合いをしながら、我々のスタンスはこうだと明確に示す。それでお互いの理解と協力を深めていくべきです。一方で心配なのは、外務省にはチャイナ・スクールという連中がいます。彼らは女性をあてがわれたり、おいしいものを食べさせてもらったりして、中国に取り込まれているのではないかと懸念されるところです。

西村　聞くところによると、役人が中国へ行くと、好みドンピシャの女性が迎えにくるらしいです。

福山　調べているのですか（笑）。

西村　その役人が過去どういう女性と付き合っていたかとか、奥さんがどうでとか、どういう好みかを全部調べて、それでもう「えっ？」というくらい一〇〇％好みの女性が来るらしいです。それはほんとうにすごいって（皆、笑）。

第四章

かくも重大な岐路、日本の進むべき道は

ここまで対談で扱ってきた様々な問題は、武漢ウイルス禍が発生したからこそ顕現化したものである。現下我が国は勿論、世界中がパンデミックで喘いでいるが、この有事をチャンスに変えることが肝要だ。ではチャンスにするためには何が必要なのか？　日本が埋没しないためにはどうすればいいのか？　武漢で開かれたパンドラの匣にしっかり希望を残すための処方箋をふたりが語る。

日本経済の見通しは？

福山　武漢ウイルス感染拡大に伴う経済対策として、現金一〇万円の一律給付（特別定額給付金）が行われるなど、日本政府が具体的な経済対策を開始しました。今後の日本経済はどうなると見られていますか？

西村　歴史上かつてない大恐慌になる可能性があります。二〇二〇年のＧＤＰ予測もマイナス五％まで落ち込む可能性が高く、失業者も一〇〇万人に迫るかもしれません。ただ、それでも日本はこの第三次世界大戦の被害は少ないほうです。延期されたとはいえ、東京オリンピックが予定通り開催されれば「オリンピック需要」は必ずあります。それが期待できるので、まだ救われます。「特需」が大恐慌というトンネルの先の光になって、そもそもの復興五輪というコンセプトを本当に具現化できたらいいですね。

福山　とはいえ、まだ武漢ウイルス禍は収まっていませんし、アフリカはこれからが大変と目されています。加えてウイルスが変異していて、パンデミックの第二波、第三波の恐れもあると思われます。今後の進展次第で東京オリンピックが開催できなくなると、もっと経済のダメージは大きくなるのではないですか？　大東亜戦争の敗戦直後は、一九五〇年に朝鮮戦争があり、日本はアメリカ軍の〝後方兵站(へいたん)基地〟として、禁止されていた兵器や軍需物資の生産を行うことで経済がV字回復しましたね。これがいわゆる朝鮮戦争特需でした。

西村　ひとつだけ明るい展望があるとすれば、安倍政権が昨年（二〇一九年）秋に外国為替及び外国貿易法（外為法）を改正したことです。これは、安全保障上重要な日本企業の株式を外国人投資家が取得する際、その持ち株比率基準を一〇％から一％と厳しくしています——一％以上取得しようとする時点で原則として事前届出が必要。つまり、外国人の持ち株比率を一％以下に抑え込むことができたというわけです。

今後、チャイナが巨大な経済的ダメージを受けた場合、日米欧の倒産企業——とくにインフラやハイテク、安全保障に関わる企業など——を買い叩きにくる可能性があります。これはチャイナの経済支配は勿論、技術流出も促すことにつながり、非常に危険です。この危険性から、昨年秋の改正〜今年五月に施行される「改正外為法」が、日本を救ってくれるでしょう。

福山　武漢ウイルス禍の影響を受け、株価が暴落したところで、中国に重要産業を担う企業を買い叩かれるところでした。安倍政権は打つべきときに手を打っていて、さらに強化に踏み切るでしょう。政権批判ばかりやっている野党は、絶対こういうことはやらなかったでしょうね。

西村　とくに武器、原子力、鉄道、サイバー・セキュリティ、医薬品、医療機器の分野で外国人持ち株比率が厳しくなったのが、首の皮一枚を残す感じですね。

福山　武漢ウイルス禍で医療、医薬物資はエネルギーと並ぶ国防上、重要な戦略物資になりましたからね。

西村　この（二〇二〇年）四月上旬、ＥＵのレナルチッチ危機管理担当委員は、人工呼吸器などの医療機材の調達が困難になっていて、医療用物資の「世界的な争奪戦」が起きていると警告を発しました。パンデミックに襲われている各国がヘルスケア産業を対象に外資規制を強化しています。今回の武漢ウイルス禍を機に、世界的に安全保障への意識が経済や技術分野へと広がっているのは当然といえるでしょう。

それと同時に、一方的な保護主義に陥らないよう、国際協力を組める枠組の再構築も課題になります。当然、信頼できる国家との同盟のようなカタチになると思います。それゆえ、ここ三〇年以上も恣（ほしいまま）に拡散してきたグローバリズムというものへ対抗する、国家の存在の見直しにつながることになるでしょう。「グローバリズムvsナショナリズム」という対立軸が、武漢ウイルス禍のお蔭で鮮明になりました。

先にも申し上げているので繰り返しになって恐縮なのですが、やはりユヴァル・ノア・ハラリの武漢ウイルス禍後に関する見解は、口当たりだけはいいのですが、どうも信頼できないのです

（笑）。『歴史の終わり』を書いたF・フクヤマの焼き直しだと申しあげましたが、フクヤマのほうが冷戦に勝ったという確信からか、ハラリより元気が良くて非常にポジティジブだったと思います。ただ、フクヤマが間違ったことを言ったのが、いま、まさに武漢ウイルス・パンデミックによって証明されてしまったと思っています。このままでは欧米の民主主義国家が全体主義国家に負けたことになってしまいます。

今後対処すべき安全保障上の法的問題点

西村　冒頭で福山さんと議論しましたが、現在の国際政治の最大の危機は、米中貿易戦争などという生ぬるいものでなく、武漢ウイルス禍がきっかけになった米中戦争であり、事実上の第三次世界大戦――武漢ウイルスとの戦いが第三次大戦と見なされるなら、同時に勃発した第四次世界大戦――です。覇権を巡る頂上決戦ですし、新しい世界秩序をつくる世界大戦でもあるわけです。私たちの話にここまで付き合ってくれた読者なら、そういう前提を理解してくれていると思いますが、問題は大半の日本人がまったくそういう現実に気づいていないことです。

福山　かつての東西冷戦はアメリカとソ連の、たったひとつの世界覇権をかけた頂上決戦でした。今回の第三次・第四次――これを一緒にして第三次としたほうが良いと思いますが――世界大戦も簡単に言えばそれと同じで、アメリカと中国の戦いです。そして世界中の国々が「お前はどちらに付くのか？」「どういう参加の仕方をするのか？」と問われているわけです。世界大戦と呼ぶ所以です。

西村　先ほども話しましたが、事実上、日本国憲法前文や第九条などはとっくに自然消滅しています。日本人はそれに気づいていないだけです。それはもう五〇年前になりますが、一一月二五日、いまの防衛省がある市谷台にあった陸上自衛隊東部方面総監部で、三島由紀夫が憲法改正を訴えて自決したときに発した「檄文」に明確に記されています。

福山　普通に外国の首脳と交渉しているリーダーたる政治家は勿論、相手国と事務的な交渉を重ねている官僚や各国の軍とやり取りをしている自衛官であれば、いま日本が置かれている状況が非常に厳しく、「国権の発動たる戦争と、武力による威嚇又は武力の行使は、国際紛争を解決する手段としては、永久にこれを放棄」し、「平和を愛する諸国民の公正と信義に信頼して、われらの安全と生存を保持」することは、現実的に不可能であることを痛感しているはずです。まさに、その時代遅れの憲法の空虚な枠組みを用いて、武力を行使する戦争とまったく同じダメージ――人を殺傷し、経済活動を麻痺させ、人間の心理を蝕む――をもたらす武漢ウイルス禍に対応しても、満足に対処できるはずがありません。皮肉にも、日本は武力攻撃ではなく武漢ウイルスの感染拡大により〝マッカーサー憲法〟が通用しないことを悟らされたわけです。

西村　だからこそ政治家や官僚が先頭に立って、国民に現在日本の直面しているリスクを徹底的に示し、リスクが危機や有事にならないよう事前に動ける法整備をしなければなりません。それこそがほんとうのエリートがやるべき仕事のひとつでしょう。

福山　初めから徹底的な法整備は難しいかもしれません。何しろ戦争に負けてからもう七五年になりますが、その間ずっと〝お花畑〟で過ごしてきたのですから。これはある意味奇蹟です。だから不充分ではありましたが、今回の武漢ウイルス禍でこの三月に成立～施行された「新型コロナウイルス感染症に関する特別措置法」（新型コロナ特措法）のように、特措法で対応し、それを積み上げていって法を整備するのでもいいのです。「日替わり的」とか「場当たり的」という批判は受けると思いますが、結果的に法が整備されればいい。急激な変化を好まない日本人の「性」として、やむを得ないのではと思います。

西村　コトがあるたびに、指導者がどんどん決断する。勿論それを支える法律が必要ですが、それは福山さんがいま仰ったような対応が現実的でしょう。とにかく、国民を巻き込んでいくしかありません。なぜなら、それこそが〝戦時〟の政府の対応で、世界標準なのだと国民に理解してもらい、慣れてもらうべきだからです。

日本の安全保障、抜本的にこう変えよう

西村　武漢ウイルスが収束する前だからこそ、いま私たち日本人が徹底的に論じなければならないのが、我が国の安全保障のあり方です。日本国民が武漢ウイルス禍から学ぶべき最大の教訓は「日本の安全保障の考え方（発想）を抜本的に転換すること」ではないかと思います。

福山　従来の安全保障の考え方は、「中国、ロシア、北朝鮮などの仮想敵国の脅威（攻撃）に対して国の防衛を行う」というものでした。戦後の冷戦構造のなかで共産主義国家・ソ連シンパの左翼勢力（社会党・共産党）とアメリカシンパの保守勢力（自民党）による、終わりのないイデオロギー闘争が延々と続きました。そのため今日まで日本国憲法第九条を墨守する羽目になりました。それでも日本は、今日まで、強大な軍事・経済力を誇るアメリカの庇護の下で平和・繁栄を謳歌することができました。その弊害として、自国の防衛をアメリカに依存するという他力本願の考え方が定着してしまい、「自分の国は自分で守る」という気概が失われてしまいました。

西村　最近、この従来の安全保障の考え方では通用しない事態が立て続けに起こりました。甚大な被害をもたらす自然災害の発生です。九年前の二〇一一年三月一一日、東日本大震災（地震と巨大な津波）が起こり、それに伴って甚大な原発事故が発生しました。これまでは考えられな

いスピードで危険度を高める水害も列島各地で複数回起きています。それに加えて今回の武漢ウイルス禍です。国民の生命・財産を脅かすのは戦争だけではないことが明らかになりました。

福山　国民の生命・財産を脅かす点においては、外敵の侵攻と感染症や自然災害は本質的には同じものです。私は武漢ウイルス禍を奇貨として、国民の生命財産を守るためには従来のような『外敵（侵略戦争）』から国家・国民を守る＝安全保障」という考え方から「国家・国民に対するすべての脅威（外敵〔侵略戦争〕、自然災害、パンデミックなど）から国家・国民を守る＝安全保障」に変えるべきだと思います。パラダイム・シフトが絶対に必要です。そのうえで、安全保障の枠組みを抜本的につくりかえるべきです。

西村　日本は、武漢ウイルス禍を奇貨として、安倍政権がやろうとしている憲法第九条関連の改正などだけに留まらず、新しい安全保障システムの確立をする必要があるのではないでしょうか。

福山　日本という国を地政学的に見れば、日本は、アメリカ、中国、ロシアという巨峰――国際政治用語では「極（pole）」と呼ばれる――の谷間に咲く〝ひ弱な山桜〟に譬（たと）えるのが適切でしょう。〝ひ弱な山桜〟という表現は、アメリカがカーター政権時、国家安全保障問題担当大統領補佐官を務めたズビグネフ・ブレジンスキー氏の著書『ひよわな花　日本』（サイマル出版会大朏人一訳）に倣ったものです。

日本は島国であるために、外敵には周辺の海がバッファー・ゾーン――緩衝地帯。中立地帯――となり、近世までは極めて安全な国でした。しかし、高性能の艦船、航空機、ミサイルなどの出現により、海が持つバッファー・ゾーンとしての効用は失われました。

西村　日本は、その占める地理上の位置と保有する資産――豊かな富、素晴らしいインフラ、優秀な人材、高度な技術など――があるために、米中露がなんとしても自国の支配下に置きたい国です。また、日本の地理的な位置は、米中露にとって、アジア・太平洋の覇権を争ううえで〝天王山〟ですね。

福山　地理的なことでいうと、アメリカにとって日本は、数千キロの太平洋を越えて、中国に対抗するうえで不可欠の戦略的な要地――不沈空母――です。

一方、日本列島は、台湾、フィリピン、ボルネオ島――第一列島線――と連接して、中国沿岸を包囲・封鎖するような形になっています。このために、中国にとって、日本は、太平洋進出を阻む〝障壁〟にもなり得ますし、逆に太平洋進出の〝踏み台〟にもなり得ます。近年、太平洋進出を目ざす中国にとって、日本は、喉から手が出るほど欲しい国でしょう。

日本は、国土の広さ、資源、人口などの制約から、米中露三国に単独で対抗することは不可能です。従って、日本は安全保障のために、米中露いずれかの国と同盟を結ぶというのが、常識的な外交・防衛政策でしょう。

西村 米中露の戦略的組み合わせは、ニュートラルに考えれば以下の五つのケースが考えられます。

ケース①：米中露総対立
ケース②：米中露総友好
ケース③：米中友好、露孤立……米中接近（一九七二年）から冷戦崩壊（二〇〇四年頃）まで
ケース④：中露友好、米孤立……米中接近（一九七二年）以前の冷戦期と冷戦崩壊（二〇〇四年頃）から今日まで
ケース⑤：米露友好、中国孤立……トランプ政権が模索か？

福山　現在は、「ケース④：中露友好、米国孤立」の状態ですね。しかし、「万物は流転する」というヘラクレイトスの箴言に漏れず、組み合わせは時代により変わります。日本の外交は、受動的にならざるを得ず、その時々の米中露の組み合わせのなかで〝生き残り〟を図らなければならないという、宿命を背負っています。日本は大東亜戦争の敗戦により、選択の余地もなく「鬼畜」と悪罵したアメリカの陣営に入り、今日に至っています。

距離的に見れば、日本はアメリカよりも中国のほうが圧倒的に近いです。この距離の問題は軽視されがちですが、戦略的に見れば、様々な意味を持っています。そのことは、韓国の朴槿恵前大統領が、米韓同盟に反して習近平政権に接近した経緯・様子を見れば理解できるでしょう。

現在まさに経済戦争をしている米中のパワーバランスは、次頁の図でその変遷（冷戦時代と現在）を示しました。

米中パワーバランス変遷（冷戦時代と現在）

この図からわかるように、冷戦時代の米中のパワーバランスの均衡点は、朝鮮半島の「三八度線」付近であったと思われます。しかし、近年中国が台頭し、アメリカが凋落傾向にあり、その均衡点は東方に移動しつつあります。オバマ政権下では、韓国はもとより、日本までも限りなく

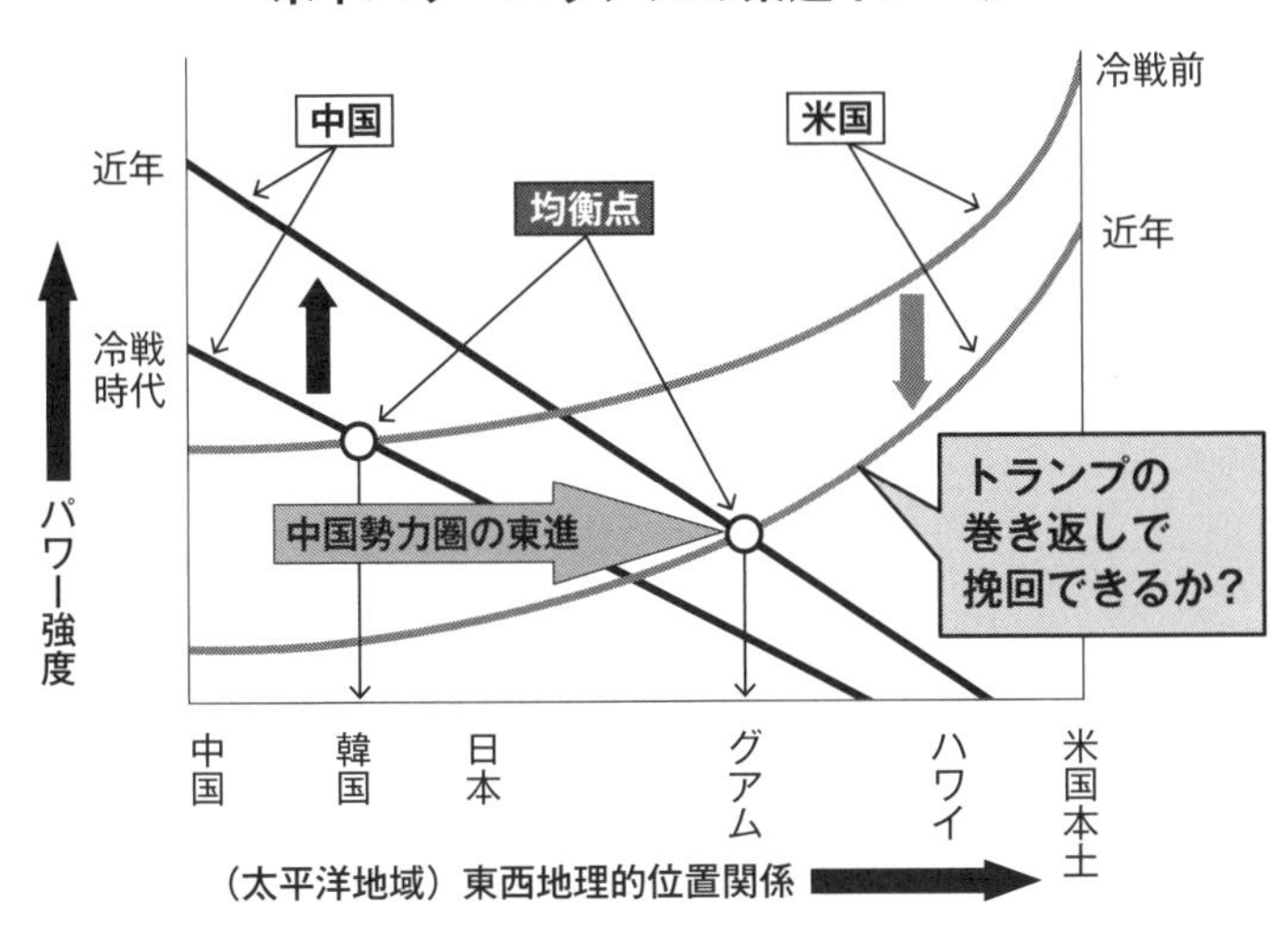

中国のパワー優勢圏内に入りつつあったのではないでしょうか。

西村　しかしながら、トランプ政権が軍事力を強化すれば、パワーバランスの均衡点を西方に押し戻すことができるでしょう。米中のパワーバランスがフラフラしているので、米中経済戦争の帰趨（きすう）が日本外交に極めて大きな影響を及ぼすのは当然です。想像したくないのですが、もしアメリカが負け、中国が東アジアの覇権を完全に掌握したら、日米同盟は解消せざるを得ないところまで追い込まれる可能性があります。

福山　いずれにしても、我々日本人は、アメリカ、中国、ロシアという巨峰の谷間に咲く〝ひ弱な山桜〟に譬えられる地政学上の宿命を背負っていることを肝に銘じ、米中覇権争いのなかでも強かに生き残る覚悟を持ち、柔軟な思考による現実的な外交・軍事政策を駆使することが必要でしょう。

西村　そのためには正確な情報を得、的確な情報分析をする必要があります。判断の基になるのはインテリジェンスですから。第二次安倍政権が発足してから、政府の〝情報〟に対するスタンスは以前より良くなりましたが、まだまだです。

せっかくNSC（国家安全保障会議）とNSS（国家安全保障局）をつくったのだから、軍人――当用憲法では自衛官になりますが――を多く登用して、福山さんがおっしゃった「ミリタリー・カルチャー」を政府の根幹の機能に反映させなければダメなんです。情報機関の充実はそこから始まります。安倍総理も本当はそれを知っているはずなのに、と言いたい。以前、安倍総理にこんなことを言われたことがあります。G7サミット（先進国首脳会議）で各国首脳が揃うとき、会議であっても必ず武官がいるのに、日本はいない。そのことを嘆いていました。日本の総理はサミットで武官のアテンドがないわけです。

そんなハンディキャップ国家だから、私は〝半国家〟だと先ほど申し上げたんです。昔、ある外交官がハンディキャップ国家を正当化する発言をしたので驚いたことがあります。第二次世界大戦の敗戦国だからという理屈があるとすれば、それはとんでもないことです。まだ主権を回復していない昭和二七年（一九五二年）までの占領中ならそんな発言もわかりますが、サンフランシスコ講和条約を締結してハンディキャップは解かれたのに、まるで永久占領と同じですね。そういう意味で吉田茂の罪は非常に大きいと思います。吉田茂は占領基本法でもあった日本国憲法にすぐ手をつけず、第九条をそのままにしました。アメリカに基地を提供する日米安保は憲法第九条とセットになったものなのに、経済復興だけを考えたからです。彼の頭にはアメリカを利用してやろう、という気持ちもあったかもしれませんが……。

吉田は憲法第九条改正をしないで占領体制を継続しました。日米安保も占領体制とあまり変わらない片務性が残るもので、緊急事態宣言はアメリカ軍が出すもので日本政府にはその権力がなかった。もし内乱が起きたら、アメリカ軍が対処するのが吉田の日米安保でした。その片務性を解消し、独立国家に近づけたのが、岸信介の日米安保改定、つまり六〇年安保だった。福山さんには釈迦（しゃか）に説法で申し訳ありませんが、ちょうどそれから今年（二〇二〇年）が六〇年目というのは、何か区切りになります。

それと、外務省の情報発信力はひどいもので、拙著でも何回か書いたことはあるのですが、広報外交（パブリック・ディプロマシー）の機能をＮＳＳの内部か内閣府に置いて、防衛省の情報本部ともスムースに連携させるべきです。本来なら情報の発信だけでなく、情報を獲る諜報の機能と併せ持つ、情報の出し入れになりますが、それを統括する情報機関が必要です。

外国人による不動産取得の規制

西村　これは外為法改正と直接関係があるわけではありません。ただたまたま武漢ウイルス禍の前に法改正をしていたおかげで、日本経済をチャイナの浸透から守れるわけです。同じ意味から、この有事を機に外国人の不動産取得についても、制限すべきだと思います。株式でできたのですから、不動産でも可能なはずです。現状では、日本の不動産は、外国人であっても日本人と同様に所有権を取得することが可能です。土地についても所有権が認められています。他国のような外国人向けの規制、永住権や日本国籍の有無、ビザの種類による規制もなく、土地・建物ともに外国人の不動産所有が認められているのです。

一方で、インドネシア、ミャンマーなどは外国人名義で不動産は購入できません。また、シンガポール、フィリピン、タイ、中国では外国人が土地を取得することはできません。極端な規制はよくありませんが、外国人の取得できる不動産や土地に制限をかける必要があると思っています。例えば、皇居を見下ろすことのできるビル、安全保障上肝要な自衛隊基地の隣接した土地、豊かな水源を擁する土地等々、我々日本国民にとって重要な不動産を外国人、とくに何かと利害のぶつかることの多いチャイニーズや韓国人が所有するとどうなるか？　我々は匕首を喉に突きつけられているようなものです。現状ではそれが野放しになっているわけです。

福山　長崎・対馬にある海上自衛隊対馬防備隊本部の隣接地が韓国資本のホテルに買収されている話は有名です。ほかにも対馬は韓国資本による不動産買収が進んでいて、「このままでは島全体が韓国に買われてしまう」という危機感すら出ています。

同じ長崎の五島列島出身の私は、ずいぶん前から過疎の進む島嶼部の防衛が手薄で危ないと警鐘を鳴らしてきました。しかしながら、地元自治体や一部の人が関心を持ってくれたくらいで、大きな動きは何もなかった。今回の有事を機に中国の暗躍が白日の下に晒されたのですから、政府としても動いてほしいものです。

西村　対馬、五島列島は本土からの観光客を誘致する観光産業が必要ですね。日本にとって重要な国境だからこそ、中央がきちんとケアしなければなりません。たとえばハワイのように観光地としての機能とは別に軍事的な重要性もありますよね。だから、対馬や五島も自衛隊の基地を大きく整備、展開して戦略的な重要性の位置づけを高めて、それと同時に観光のメッカにする方法もあるかもしれません。あらゆる可能性を探るべきです。

外国との接点ということで言えば、日本に偽造パスポートで入国し、偽造免許でレンタカーを借りている外国人が結構いると聞いたことがあります。入国審査や偽造証書等の鑑識能力を高める必要があります。というのも、今後武漢ウイルス禍の影響で東アジア情勢が不安定になった場合、日本への不法入国を図る難民――日本は難民の受け入れには厳しく、難民認定率は〇・二%にすぎない――は爆発的に増える可能性があるからです。

難民認定できない人たちは入国を拒否する。そうしないと日本国内の治安は不安定になってしまいます。これは自国中心主義ということでなく、社会を安定させるのは政府の重要な仕事です。また、難民という気の毒な人たちがひとりでも出ないよう紛争を起こさないための交渉・調整を各国間で行うのも、政府の大切な仕事です。

不動産買い付けについては、所謂「相互主義」――自国が他国に対して有する権利・義務や利益・負担を、他国が自国に対して有するそれらのものと均衡がとれるようにすべきであるという考え方――を導入すれば、比較的容易に国益損益は回避できると思います。相互主義は条約作成時の基本的理念ですから、相手国は抵抗を覚えないでしょう。一番おかしいのは、北海道の土地をチャイニーズが買い漁っていることです。危険です。しかも日本人はチャイナの土地を買えない。共産主義国家だから当たり前ですよね。こんなバカなことはないわけです。

福山　西村さんもご存じのように、もともとわが国には「外国人土地法」という法律が大正一四年に制定されています。条文を確認すると、第一条では、日本人・日本法人による土地の所有を制限している国に属する外国人・法人に対しては、日本における土地の所有について、その外国人・法人が属する国が制限している内容と同様の制限を「政令によって」かけることができると定めています。つまりいま西村さんのおっしゃった「相互主義」が適用されているのです。

第四条では、国防上必要な地区においては、「政令によって」外国人・法人の土地の取得を禁止したり制限をつけたりすることができると定めています。しかし、敗戦後、この法律に基づく政令はこれまで制定されたことはありません。有名無実状態が続いているのです。政令を制定すればいい話ですから、是非安倍内閣には行動していただきたいですね。

中国、EU、アメリカ、ロシア……今後どう向き合っていくべきなのか？

西村　福澤諭吉が「脱亜論」を書いた一〇年後、日本は日清戦争で勝利しました。我が国は歴史的に長期間続いていたチャイナを中心とする華夷秩序（かいちつじょ）――チャイナの皇帝を頂点とする階層的な国際関係。古来チャイナにある自分たちは優れた文明を持つ世界の中心（中華）で、周囲は未開の野蛮人（夷）であるとの考え方に根ざす――を破壊したのです。その結果、朝鮮は清の属国から解放されました。それと同時に、清は台湾を日本に割譲しました。台湾は日本の初の植民地になったのです。ここで台湾は二重の意味で「脱亜論」の対象から外れるポジションを得たのです。つまり日本の統治下に入ったことと清から解放されたことです。

もともと台湾には厳密には漢民族ではない広東人、福建人が多く、それに加えて多くの先住民族がいました。清の時代からチャイナの冊封体制、つまり華夷秩序に硬く縛られてはいませんでした。ましてや台湾は清以前にオランダに統治された時期もあり、清は台湾を「化外の地」と呼び、野蛮人の住む島という認識でした。したがって、日本に割譲されても、清国人の意識のなかでは台湾が華夷秩序から完全に離れたとはいえないことが重要です。さらに第二次世界大戦後の大陸での国共内戦を経て、中国国民党は台湾へ逃げ込んだわけです。連合国（国連）の常任理事国だった中華民国が台湾を占拠し、独裁政権を樹立して、「大陸反攻」というスローガンを掲げていました。だから、中国共産党はどうしても台湾を獲りたいわけですね。

福山 ちょうど今年（二〇二〇年）は、福沢諭吉が「脱亜論」を書いてから一三五年目に当たります。そして、日清戦争勝利から一二五周年、日露戦争勝利から一一五周年になります。不思議な歴史の巡りあわせと時代の符号に改めて驚きますね。

西村 もっと驚いたことがあります。日本の歴史上極めて大きな意味を持つ、日清戦争と日露戦争の戦勝記念行事が、戦後になってから政府主催で一度も行われていないのです。これは〝普通の国〟では、独立した国家であるなら、あり得ない話です。世界中にこんな国はありません。相手の国は、歴史の国益活用の一環としてやっているのに。

福山　一方で、今年は第二次世界大戦終結から七五周年になりますが、日本と戦争をしたわけでもないのに、五年前に「抗日戦争勝利七〇周年」「反ファシズム戦争勝利七〇周年」と叫んでいたのが中国共産党のプロパガンダです。自分の国の歴史に刻まれる日清、日露の戦勝記念行事を、たった一回戦争に負けたことで一度も行うことができない卑屈な政府（日本）がある一方で、自分たちが戦ってもいない七〇年前の戦争に「勝った」「勝った」と大騒ぎして世界に喧伝しつづけている厚かましい独裁政権がある……。

西村　その独裁政権は二一世紀のナチズムともいえる民族浄化政策で、周辺民族を侵略して苛酷な弾圧と抑圧を行っていながら、「反ファシズム戦争勝利七〇周年」と嘯いたわけです。何ともグロテスクで滑稽な話です。それでも、自国の近代化の礎を築いた偉大なふたつの戦争の勝利を祝うこともできないほうが、遥かに醜悪ではありませんか？

福山　たしかに……あの大戦で散華された多くの戦死者――英霊にこれほど非礼な侮辱はないでしょう。自らの歴史に唾を吐いていることに等しいです。

西村　なぜ、日本はいつの間にか、ここまで醜い国になってしまったのでしょうか。その醜さに気づかない多くの国民と、気づいても目をそらす人間がいることがさらに醜悪さを増す……そんな歪な国家が、いま、再び激変する世界のパラダイム・シフトの荒波のなかで自力で航海していなければならないときを迎えています。

福山　ここまで対談でいろいろ取り上げてきました。武漢ウイルスで見えてきたことが複数あって、それはEUが崩壊寸前の状態にあったこと、アメリカが本気で中国を叩こうとしていること、朝鮮半島が五里霧中であること、ロシアが失地回復に躍起になっていること、国連がかなり中国に蹂躙されていること、中国が世界中で覇権への布石を打っていること、世界は予想以上に中国に対して経済的依存をしていたこと、日本の法体制では有事には対処できないこと……。

西村　問題が可視化されたことはプラスに考えるべきです。いまこそ国家を軛から解放するチャンスです。一つひとつ着実に対処していけばいい。我々の世代だけでは完遂できないなら、次の世代に託せばいい。この第三次世界大戦としてのウイルスとの戦争を勝利で終えるためにもここが踏ん張りどころですね。

最後に少しだけ付け加えていいですか？（笑）整理をすると、何よりも憲法九条の改正が最も重要で、それと同時に非常事態宣言条項を作るべきです。それはもう多くの国民が今回の武漢ウイルス禍で解ったはずです。第九条の改正は何よりも日本とアメリカが対等の関係になれることが重要ですね。日本もアメリカに基地を置けばいいんです（笑）。

アメリカにとって日本が〝太平洋におけるイギリスの関係〟になることが重要です。そうすれば日本は完全に属国状態の半国家から抜け出して独立国家になれます。非核三原則の撤廃も大切で、核保有は当面はアメリカと核シェアリングを行なえばいいと思います。

イギリスが脱ＥＵを円滑に進められれば、太平洋に還ってきますね。ＴＰＰにイギリスと台湾を加えるべきです。日英同盟の再構築も現実味を帯びてきます。つまり、これだけの世界秩序の変化が、ウイルス戦争である第三次世界大戦後の世界にリアリティを持ってくると考えています。とにかく、日本が〝特定アジア〟というチャイナ、南北朝鮮の〝反日エリア〟からできるだけ距離を保ち、独立を目指す台湾を起点にして、フィリピン、インドネシア、ベトナムなどの東南アジア、そしてミャンマーからバングラディシュ、インドへ向かう南アジア、さらに中東に連なる「開かれたアジア」へ経済と安全保障の軸足を移すことが重要です。それは、独自の文明圏を持つ日本だから可能になります。日本の存在は、欧米キリスト教社会とイスラム社会にとって、サード・パーティとして関わりが持てる世界で唯一の国です。そんな日本の立ち位置こそがポスト武漢ウイルスの世界をリードできると思っています。

おわりに――日本の世界史的立場の表明を

本書の脱稿を迎えて痛切に感じているのは、同時代を見ることの難しさだ。近くを見るほうが遠くを見るより良く見えるのが普通だが、時代は〈もの〉ではないのでそうはいかない。現代史を読み解くのが難しい理由もそこにある。一方で、イタリアの歴史哲学者、ベネデット・クローチェは「あらゆる歴史は現代史である」という有名な言葉を遺した。それは、過去をいかに透視するかという認識の方法が、歴史を振り返る時点でその時代に拘束されることを意味している。歴史認識は、絶えずそのときどきの〈現在〉の視点になる。したがって、「あらゆる歴史は現代史」ということになる。近代以降の歴史認識の雛型、方法論の定番といえるだろう。

ところが、そんなクローチェの定義では、未来や過去から〈いま現在〉を見る視点を当然欠くことになる。どういうことかといえば、例えば、二〇年後の未来からいまを見ることが近未来の予測になり、二〇年前の過去からいまを見ることが歴史になるのだが、クローチェ的な方法では前提としてあり得ないことになる。人が時間の連続性のなかに身を置いて時空を移動して複眼的な視点を持てれば、西暦二〇二〇年・令和二年の現在がどんな時代であるかを認識することの困難さを和らげられるのではないか。そんなことを以前から考えていた。それは、現在の基準、価値観で歴史を見て、その過去を評価したり、裁いたりすることが可能なのかという疑問にもなる。

　本書でも福山隆元陸将と東西冷戦終結を振り返り、ベルリンの壁の崩壊を誰がひと月前に予測できたのか、と申し上げた。それだけ同時代を的確に見ることは困難なのである。ただ、一つひとつの出来事を並べてみると、見えないものも見えてくる。「武漢ウイルス・パンデミック」では、ファクトを並べると、次々と埋もれていた過去の出来事が発掘されていく。それぞれが起きた場所もバラバラなのに関連性が見えてくるものもある。それが驚きだった。そうやって見つけた一つひとつの点としてのファクトを繋ぐ線が、新型コロナの全体像を泛びあがらせてくれた。

　初めてチャイナの武漢で謎の肺炎が流行し始めたことが報じられたとき、その時点で嫌な予感があったのは、二〇〇三年にチャイナ広東省で発生したＳＡＲＳ（重症急性呼吸器症候群）の大流行で、チャイナ、香港、台湾で大きな被害が出た記憶があったからだ。だが一方で、そのときは武漢は辛亥革命で孫文が起った場所か、アフリカから農作物などを食いつくすイナゴの大群も東に向かっているし、古代からチャイナでは王朝交代のときは疫病や天変地異が起きるので、中国共産党も命運尽きたかなどと暢気なことを考えていた。

　このあとがきの執筆時点（令和二年五月三日）で、全世界に三四九万八二八三人の感染者がいて、二四万六七三六人の死者を出すとは、正直とても考えられなかった。しかもこの公式データのチャイナの感染者数、死者数が正しくないのは常識である。恐らく一〇倍だと推察できる。

そんな他人事の暢気な認識が一変したのは、やがて迎える春節で多くの観光客がチャイナから訪問することへの危惧と同時に、嫌な予感が膨らみだしたときだ。中国共産党と激しく対立する反体制メディアから様々な情報を入手できたからだ。武漢に国立生物研究所があり、なかでも「P4ラボ」と呼ばれる危険度の高い細菌やウイルスを扱う研究所の存在も知った。当初は武漢の海鮮市場が感染源だと報道されていたが、海鮮市場とは日本人が常識的に考える「海鮮」とは異なる、あらゆる動物、鳥類、爬虫類から両生類までが食用として売られている。

一月中旬に外国の様々なメディアを通じて初めてその実態を知り、生物研究所と海鮮市場が三〇マイル（約三六キロ）の距離しかないことを英紙『デイリー・テレグラフ』に掲載された地図で知ったときに、朧気ながら今日の事態は予測できた。日本でも観光客の感染者や観光客から感染した日本人も出はじめた頃にはかなり危機感を覚えたが、日本人の生活もメディアの報道も日常そのもので、とくに政府や厚生労働省、外務省が安閑としていたことがかえって危機感を増した。

驚いたのは、台湾が昨年（二〇一九年）一二月に「人・人感染」の危険性をWHO（世界保健機関）に警告したのにWHOは無視をしたことだ。おまけにWHOが、「人・人感染」しないというメッセージをご丁寧に一月一四日に出したのは意図的としか思えない。中国共産党とW

HOは殺人、傷害の容疑者か、親切に考えても未必の故意だ。この頃からマスク、防護服など医薬品の買い締めも世界中で行っていた。

決定的だったのは、一月二一日からの二四日までの出来事だった。一月二一日、中国共産党が武漢ウイルスの「人・人感染」を確認。その日、チャイナのメディアは春節の旅行先で日本が人気ナンバー1だという脳天気な報道をしていた。さらに翌一月二二日に北朝鮮がシナとの国境を封鎖、一月二三日には武漢には移動制限が発令された。秘密裏に感染を封じ込めようとしていた中国共産党が、それに失敗してなりふり構わない手段を取りはじめたことが解ったのである。武漢の移動制限は春節を迎える前日で、それまでに数百万人が武漢から脱出していた。

当時から様々な外国メディアの情報に頼らざるを得なかったのは、日本のメディアではまったく何が起きているのか解らなかったからだ。ウイルスへの恐怖より、じつはそのほうが私には脅威だった。恐ろしいことに、一月一七日時点の外務省HPの渡航勧告の感染症危険情報にこう記されていた。「現在、感染症危険情報は出ておりません」。

福山隆元陸将との対話でとくに強く心に残ったのは、閣下が軍事の専門家だからなおさらなのだが、いまの日本に決定的に欠落しているものを、あたかも引き出しの奥に長いこと埃(ほこり)をかぶって隠すようにしまわれていたものを、突然ポーンと机の上に投げ出すように、提示してくれたことだ。福山氏はこういった。日産の社員と話をしたときのエピソードだ。

《私、最初に「カルロス・ゴーンなんか早く辞めさせろ」「あなたたちの会社はフランスの植民地か、ルノーの植民地か？」と言いました。すると彼らは慌ててテープ・レコーダーで音声を録るのを止めました。次に言ったのは「なんであなたたちはフランスに負けるのかというと、ミリタリー・カルチャーがないからだ」ということです。みんなキョトンとしていましたけれど。》

なぜ日本の政治家は、「ウイルスとの戦いは目に見えない戦争である」という言葉を使えないのだろうか？　その理由はここで引用した福山氏の言葉で説明できる。

私はこの三年ほど〈見えない戦争〉という言葉をよく使っている。かつての東西冷戦時代に西ベルリンを分断するベルリンの壁があった。東ドイツが西ドイツへの国民の亡命を防ぐことと情報の遮断が大きな目的だった。これまで拙著で何度か書いたのだが、東京にも日本を分断する〈見えない東京の壁〉があると思っている。情報の遮断が目的でほとんどのメディアは、ＮＨＫも含めて東京の壁の東側にあり、南北朝鮮と中国共産党に繋がっている。東アジアに地球最後の冷戦構造が残っているからである。

元トランプ大統領主席戦略補佐官のスティーブ・バノン氏は、今年二月中旬のテレビ・インタビューで北京のファイアー・ウォールを壊さなければならないと言った。まさにデジタル・ウォールがチャイナの人民の言論統制に加担していることを指した。その北京のファイアー・ウォールはそのまま〈見えない東京の壁〉に繋がっていると考えると極めて解りやすいだろう。

見えない戦争は、そんな見えない壁の周辺を主戦場として行われている。武漢ウイルス・パンデミックが終息すると、米中戦争になるのではないかとよく質問されるが、そうでなく、この武漢ウイルス・パンデミックそのものが見えない戦争、第三次世界大戦であると説明してきた。これまでInvisible War〈見えない戦争〉であった第三次世界大戦がぼんやりと可視化してきたのが、武漢ウイルス・パンデミックなのである。そろそろ日本は、ここで自らの「世界史的立場」を世界へ向けて表明するべきだ。昭和一八年（一九四三年）二月、京都大学の西田幾太郎門下の京都学派、高坂正顕、西谷啓治、高山岩男、鈴木成高の四人が『世界史的立場と日本』（中央公論社）を上梓した。敗戦後七五年の今こそ、改めて「世界史的立場」を、世界へ問いかけるべきである。

最後になるが、本書の刊行に尋常ならざる力を傾注してくれた株式会社ワニ・プラスの佐藤俊彦社長には感謝の言葉もない。佐藤氏のご尽力に心から感謝する。また、エキサイティングな対論の相手をしていただいた、福山隆元陸将に改めてお礼を申し上げる次第である。

令和二年五月六日

西村幸祐

西村幸祐（にしむら・こうゆう）
批評家・関東学院大学講師。1952年、東京都生まれ。慶應義塾大学文学部哲学科在学中より『三田文学』編集担当。音楽ディレクター、コピーライター等を経て1980年代後半からF1やサッカーを取材、執筆活動を開始。2002年日韓共催W杯を契機に歴史認識や拉致問題、安全保障やメディア論を展開。『表現者』編集委員を務め『撃論ムック』『ジャパニズム』を創刊し編集長を歴任。一般社団法人アジア自由民主連帯協議会副会長。著書は『ホンダ・イン・ザ・レース』（講談社）、『NHK亡国論』（KKベストセラーズ）、『21世紀の「脱亜論」』（祥伝社）、『韓国のトリセツ』（ワニブックス【PLUS】新書）など多数。近著に『朝日新聞への論理的弔辞』（ワニ・プラス）。
●公式サイト西村幸祐公式 http://kohyu-nishimura.com/
●twitter http://twitter.com/kohyu1952
●Facebook http://www.facebook.com/kohyu.nishimura

福山 隆（ふくやま・たかし）
陸上自衛隊元陸将。1947年、長崎県生まれ。防衛大学校卒業後、陸上自衛隊に入隊。1990年外務省に出向。大韓民国防衛駐在官として朝鮮半島のインテリジェンスに関わる。1993年、連隊長として地下鉄サリン事件の除染作戦を指揮。西部方面総監部幕僚長・陸将で2005年に退官。ハーバード大学アジアセンター上級研究員を経て、現在は執筆・講演活動を続けている。著書に『防衛駐在官という任務』『米中経済戦争』（ともに、ワニブックス【PLUS】新書）など。

「武漢ウイルス」後の新世界秩序
ウイルスとの戦いである第三次世界大戦の勝者は?
2020年6月10日　初版発行

著者　西村幸祐　福山 隆
発行者　佐藤俊彦
発行所　株式会社ワニ・プラス
〒150-8482　東京都渋谷区恵比寿4-4-9 えびす大黑ビル7F
電話　03-5449-2171（編集）

発売元　株式会社ワニブックス
〒150-8482　東京都渋谷区恵比寿4-4-9 えびす大黑ビル
電話　03-5449-2711（代表）

装丁　新 昭彦（TwoFish）
DTP　株式会社ビュロー平林
印刷・製本所　中央精版印刷株式会社

 ISBN 978-4-8470-9923-6
ワニブックスHP https://www.wani.co.jp